JN315446

死の臓器

麻野　涼

Asano Ryo

文芸社文庫

目次

プロローグ　樹海

「このくそ寒い日に樹海の取材なんて……、早く仕上げて東京に帰ろうぜ」ディレクターの沼崎恭太は声を震わせながら言った。

以前は総合出版社の編集者をしていたが、二年前からテレビ番組制作会社のディレクターとして働いている。年末番組として青木ヶ原樹海で自殺した遺体や自殺しようと試みる人の映像を撮るために、カメラマンの吉田と組んで樹海へと踏み込んでいた。

「今日は県道七一〇号線から竜宮洞穴に向かって入ってみましょう」道案内を依頼した地元消防団の長富が言った。

「ここに行けば必ず遺体が撮影できる場所っていうのはないんですか」吉田も樹海に入るのが三日目とあって苛立っている。

「そんな場所はありませんよ」

長富もテレビ番組に出演できると聞いてボランティアで案内を引き受けたものの、沼崎たちの傍若無人な要求に辟易《へきえき》していた。

富士吉田の安いビジネスホテルに泊まり、ワンボックスカーのレンタカーで樹海に向かった。富士山の北麓に広がる原生林は青木ヶ原樹海と呼ばれる。松本清張が『波

『の塔』の中で自殺する場ととしても青木ヶ原を描いたことから、広く一般に知られるようになり、自殺の名所としても有名になってしまった。

沼崎がハンドルを握った。国道一三九号線を精進湖に向かって西に走ると、途中で県道七一〇号線に交差する。その交差点を右折すると両側には樹海が広がる。

「今日はここから入ってみましょう」長富が車を止めるように言った。

レンタカーを道路脇に寄せて、沼崎はエンジンを切った。鉛色のどんよりとした厚い雲が空を覆い、直ぐにでも雪が染み出てくるような空模様だ。車のドアを開け、座ったまま雪山用の登山靴に履き替えた。

後部の荷台には長富が準備した非常食と簡単な暖を取るための固形燃料、小さなテントが納められたリュックサック、それに三人のダウンのコートが無造作に置かれていた。

「まず竜宮洞穴に行き、そこから県道七一〇号とほぼ並行して北上する遊歩道に沿って歩いてみようと思います」長富はリュックサックを背負いながら言った。

山梨県富士吉田警察署と地元の消防団、防犯協会のメンバーらによって七〇年代から青木ヶ原樹海合同一斉大捜索が年中行事として行われていた。三、四百人が樹海で自殺した人間の遺体捜索を行った。この様子がマスコミに報道されると、皮肉なことに青木ヶ原で自殺しようと試みる人間が増える結果となり、二〇〇〇年に一斉捜索は中止された。

県道から一歩樹海に足を踏み入れると、雪は粗目状で歩くたびにザッザッと規則正しい行進のような音だけが響いた。ブナ、ケヤキ、イチイの梢に氷結した雪が、風が吹くたびに固まりとなって地表に落ちてきた。

積もった雪を這うように流れてくる風を顔に受けると、顔全体が強張《こわば》るほどの寒さを感じる。

樹海は富士山から噴き出した溶岩の上に群生した原生林で、木々は切り立った溶岩の上や裂け目に根を張り空を突き刺すように幹を伸ばしている。洞穴は溶岩流が冷えて固まる過程で、内部にあったガスがそのまま空洞として固まり、風化してポッカリ口を開けたものだ。

竜宮洞穴はそうした空洞の典型的なもので、奥行きは九六メートルもあるが、崩落の危険があるため立ち入りが禁止されている。長富は自分の家の裏山を歩くような足取りで入口まで近づいていった。洞窟の奥の方に祠が見えた。

「こうした人目につきやすい場所で亡くなる方は少ないんです」

吉田は念入りに竜宮洞穴とその周辺を撮影している。機材が軽量化し、自由に動けるせいなのか、一人で遊歩道を外れて樹海の中に踏み込んでいった。

「あまり奥に入らないように気をつけてください。一面雪景色ですから方向感覚を失ってしまう可能性があります」長富が大きな声で叫んだ。

吉田はすぐに遊歩道に戻り、カメラを回した。

「ここからは西湖に向かって歩いてみます。自殺される方というのは、人目につかないところで死にたいと考える一方で、死んだ後は発見してほしいと思うのか、遊歩道からそれほど離れていないところを死に場所に選ぶものなんです」

長富がこれまでの経験を語った。

竜宮洞穴の撮影が終わり、三人は雪に埋もれた遊歩道を西湖に向かって歩き出した。訪れる観光客が道に迷わないように二百メートルおきに道標が立てられている。しかし、その標識も雪を被って役には立たない。

遊歩道の左右を確認しながらゆっくりと進んだ。長富は樹海の地形を知り尽くしていた。近くに大木が見えるところで足を止め、「ついて来てください」と二人を先導した。雪に足跡が残るので、遊歩道に戻るのにそれほど不安を感じないが、葉が茂る夏だったらそうはいかないだろう。

「樹海に入り込んでいく時は、その風景は当然見ていますが、帰り道の光景というのは振り返らなければわかりません。だから私たちは時々後ろを振り返りながら、帰る時の木々の立ち並ぶ様子を頭の中に叩き込んでいくんです」

大木の影や遊歩道から見えにくい地点を、長富は一つ一つ確認しながら北上していった。

「アレッ」

カメラを回している吉田が呟いた。

「どうしたんだ」沼崎が聞いた。

「今、望遠で奥の方を撮影していたんですが、何か赤いものがチラッと映ったような気がするんです……」

レンズが向けられた方向に視線をやってみるが、そこに大木はなかった。

「ビデオを再生してみます」

吉田が慣れた手さばきでビデオを再生した。細い木々と雪しか映っていない。しかし、ゆっくりと百八十度の光景を撮影した最後のシーンに、確かに小さな赤い布の切れ端のようなものが、一瞬だが雪の中に映り込んでいる。

「あのあたりですね」吉田が指を差した。

そこにはモーグルコースのコブのような雪の盛り上がりが三つほど連なり、ビデオではその一番端に赤い布切れが映っているが、沼崎や長富のところからではそれが見えない。沼崎も長富も代わる代わる吉田の地点に立ち、赤い布切れのようなものを確認した。

「行ってみましょう」沼崎が長富に案内を促した。

長富が二人の先頭に立ち、コブに接近した。遊歩道からは数百メートルくらいの距離だった。沼崎も吉田も雪に残された足跡と、時々振り返りながら戻る道の木々の様子を懸命に記憶した。しかし、近づくに連れて県道七一〇号線を走る車の音が聞こえてくる。

コブが目の前に迫ってくると、「小さな洞穴かもしれませんね」と長富が言った。目的の場所に辿り着くと、三人は一呼吸してから三つのコブを回りこむようにして反対側に出た。

三人は息を呑み込んだ。

「撮れ、吉田」沼崎が反射的に声を上げた。

「わかってます」吉田はカメラを回し続けた。

「撮影なんかしている場合じゃないでしょ」長富が声を荒らげた。

三つのコブに見えたのは溶岩流の盛り上がりで雪が積もっていたのだ。その下は奥行きはそれほどないが、U字型の洞穴になっていてちょうど人一人が横になれるスペースがあった。そこに女性が横たわり、両手はまっすぐに伸ばしたままになっていた。目を閉じ、近づいてみても眠っているようにしか見えない。カメラに映ったのは小豆色のダウンコートのフードだった。

長富が近づき女性の頬を触った。

「生きているんですか」カメラを回しながら吉田が震える声で聞いた。

長富は無言で首を横に振った。沼崎も頬に手を当ててみたがすでに死後硬直をおこしていた。長富がリュックサックから携帯電話を取り出し、警察に通報した。

「N町消防団の長富です。今、Gテレビ局のドキュメンタリー番組の手伝いで、樹海に入っているんですが、遺体を発見しました。大至急応援をお願いします」

長富は現在位置を警察に伝えた。

女性はロングのダウンコートを着て、ジーンズのズボンをはいていた。靴はハイヒールだった。

吉田は遺体に近づいて、洞穴に遺品が残されていないか隅々までカメラを回した。

「警察が到着するまで遺体はいじらないようにしてください」

長富が警察官のような口調で言った。

「それにしてもこんなこともあるんですね。確かに目立たない場所ではあるけれど、遊歩道から少し離れて、休憩でも取るようにして死んでいる」

長年樹海の自殺遺体を見てきた長富にとっても、今回は場所、遺体の状況ともに珍しいのだろう。

三十分もすると遊歩道の方から人の声が聞こえてきた。

「こちらです」長富が大声で叫んだ。

革のコートに身を包んだ警察官が七人ほどやってきた。

「この仏様は死んだばっかずらなあ」遺体を見るなり山梨県訛りで言った。地元の警察官なのだろう。

遺体はすぐに担架に載せられ、遊歩道から県道に出て富士吉田署に搬送された。沼崎はその一部始終を取材することができた。

「これで特番は組めるな」沼崎が吉田に言った。

「やっと東京に戻れますね」吉田も安堵の声を上げた。

沼崎は早くホテルに戻り、熱いシャワーを浴びることしか考えていなかった。


五日後、再取材のために沼崎は富士吉田警察署を訪れた。女性は二十代から三十代前半と見られ、身元はまだ判明していなかった。

司法解剖の結果、死因は凍死で、大量のハルシオンを服用していた。死亡推定時期は三日から一週間前。もう一つの特徴は左脇腹の上部から盲腸のあたりまで手術痕が残されていて、左腎臓が摘出されていることが判明した。手術は一年半から二年くらい前の間に行われたものと思われる。

現場検証を担当した警察官に直接インタビューをしたいと申し入れると、見覚えのある警察官が対応してくれた。

「ご苦労様です。テレビ局の記者さんも大変ずら、この年末に自殺者の取材に樹海に入るなんて」警察官は皮肉とも取れる言葉を漏らした。

「遺体の身元判明につながるような遺品などは何も発見されていないのでしょうか」

死に顔を放映するわけにもいかず、遺体全体にモザイクを入れなければならない。

「それが何にもねえだあ。普通は死ぬ前っていうのは決断がつかんで、リストカットにしても躊躇《ためら》い傷っていうものを残すケースが多いし、首を吊って死ぬにしてもタバコの三、四本くらい吸うとか、遺書を書き残すとか、恨み言の一行二行を書き記すもんさね。周囲の雪を除けて見たけんど、それが何にも見つからなんだ。この仏様は何にもなかったさね」

番組は年末特番として放送された。心当たりのある人がいれば連絡をほしいとキャスターが番組中に呼びかけたが、放映中もその後も誰一人として問い合わせをしてくる視聴者はいなかった。

第一章　臓器売買

　その日もいつもの通り午前中は外来患者の診察に当たった。大田勇は慈愛会病院の院長であり、午後からは院長室で山積みになっている書類に目を通さなければならない。

　慈愛会病院は元々大田徳治が経営していたが、徳治の一人娘と結婚し婿養子として大田家に入った。徳治が高齢のために一線を退き、病院経営はすべて大田勇に委ねられるようになった。

　婿養子に入った当時、慈愛会病院は赤字経営で、その苦境を立て直したのも大田勇だった。平凡な地方公務員の家庭に生まれたが、勉強好きで中学、高校の成績は常に三番以内に入っていた。上京し、私立医大としては名門の明昭医大に進んだ。医大に残り研究を続けたが、知人を介して大田徳治の一人娘と結婚したのだ。

　外科が専門で、繊細な手術になるとその技術は年齢とともに落ちてきた。しかし、大田勇は経営手腕には秀でるものがあった。大田家は代々医師の家系で、義父も医師になることになんの疑問も感じることなく、さしたる苦労もせずに地元の医師として生きてきた。経営感覚はないに等しく、義父は帳簿すら見ていなかった。

その長女真弓はわがまま放題で育った。大田徳治は真弓を医大に進学させ、後継者にと最初は考えていたようだ。真弓も父親の期待に応えようと、医大進学を目指して受験勉強に励んでいた。しかし、それだけの才能はないと真弓が高校生の時に、父親は断を下していた。地元熊本県の私立高校から東京の大学に進み、卒業後は商社に入社し地元に戻るのを拒否していた。病院を継いで欲しいという親の説得に、最終的には退社し見合いを重ねてきた。

器量は十人並みだが、裕福な家庭で育った屈託のなさが長所だと知人から聞かされて、都内のホテルで食事をした。フランス料理はマナーに則って、ナイフで肉を切る仕草やフォークの背に野菜をのせて食べる様は気品があり、育ちの良さを感じさせた。

しかし、容貌はお世辞にも美人とはいえなかった。髪は美容院でセットしてもらったばかりなのか、これから出勤するホステスのようだったし、笑うと細い眼が糸のようになり、付けまつ毛だけが異様に長く見えた。

食事をしながら互いの趣味を話題にしていたが、ワインも進みうちとけた雰囲気になると真弓は饒舌になり、大胆な一面をのぞかせた。

「勇さんってセックスの処理はどうなさっているんですか」

無礼としか言いようのない質問を平然としてきた。

仲介した知人の表情が強張り、話題を変えようとした。

「彼は学級肌で研究一筋にやってきてしまったもので、この年齢になるまで浮いた話一つないんですよ」

それでもワインを一気に飲みほし、新たに注がれるワインを見つめながら追い討ちをかけるように聞いてきた。

「父は身勝手で母が悲しんでいるのを知っていながら愛人を囲ってきました。勇さんはそうならないと、私の前で誓ってくれますか」

「あなたと結婚すると決めてこの席に座ったわけではありません。失礼します」

大田は席を立ってしまった。

子供の頃から何不自由なく育った女性にありがちな傲慢さと虚栄心を、大田は垣間見た気がした。病院経営者の娘との縁談を断る男はいないと真弓は端《はな》から思いこんでいた。不快な思いをしてまで見合いを続けるほど、結婚相手に困っているわけでもない。

その夜、知人が謝罪の電話を入れてきた。

「屈託のなさではなくて、真弓さんは世間知らずなだけでしょう」

知人に嫌味を言ったが、相手も十分にわかっていたのか、反論もせずに謝罪の言葉を繰り返すだけだった。

意外だったのは、数日後、真弓から直接電話がかかってきたことだ。

「大変失礼なことを申し上げました。どうかご容赦ください。つきましてはもう一度食事の機会を設けさせていただきますので、今度は二人だけでお話しする時間を拝借できればと思っています」

大田は即座に断ったが、真弓は懇願してきた。それに負けて会う約束をした。

その日、アルコール類はいっさい口にせず、真弓は前回の非礼を謝罪した。

「父の身勝手さを子どもの頃から見てきました。それであんなことを聞いてしまいました」

大田は食事を終わらせて早くその場から立ち去りたかった。それを感じ取ったのか真弓が本音を語りだした。

「すでにお聞き及びだと思って告白しますが、何度もお見合いをさせていただいています。ああいった失礼な質問をして、席を立たれたのは勇さんだけでした。他の方はすべて否定されていましたが、心に響く言葉はいただけませんでした。私との縁談を真剣に考えていただければと思って、恥ずかしさをこらえてこの席にお呼びだてさせていただきました」

真弓は心を覗き込むように勇の瞳を見つめたまま視線を外さなかった。最初の印象は世間知らずの高慢ちきに思えたが、その席ではまったく逆の顔を見せた。

「ご承知の通り、病院を開業さえしていれば儲かるという時代は終わっています。父には病院経営の能力はありません。私は思うところがあって医師になる道は選択しませんでした。しかし、一人娘という立場上、どうしても医師と結婚し、病院を経営していかなければなりません」

その眼鏡にかなったのが大田だった。

真弓の酒の飲み方といい、男を男とも思わない口のきき方からすれば、それなりの男性経験はあると大田は思った。将来自分でも病院を経営するという野望が大田にはある。公務員の父親にその援助を求めても経済力はない。

真弓は自分の父親をどこかで軽蔑しながらも、病院を継がなければと考えている。真弓を心から愛して結婚に踏み切ったのかといわれれば、答えに躊躇するが、愛だけでは結婚できないのも現実だ。

結局、半年ほど交際をして結婚を決めた。しかし、大田は真弓の本当の姿も、性格のひずみも見抜けなかった。慈愛会病院の医師として診察にあたるようになると、真弓が異常なほど目を光らせたのは、若い看護師に対してだった。

病院の経営母体である慈愛会の一理事でもある真弓は、大田勇が担当する外科に若い看護師が配置されると、その看護師の欠点を見つけ、呼び出しては注意を与えた。パワーハラスメント以外の何ものでもなかった。それが嫉妬からくるものだと瞬く間に院内に広がってしまった。大田に同情が集まった。

外科に限らず、ベテラン、中堅、新人の看護師のバランスが取れていて診療は順調に進められる。猜疑心から行われる人事に異論を唱えると、真弓はヒステリーを起こした。

「あの若い看護師を愛人にしようとしているんでしょう」

トラウマからか父親の徳治と勇が重なって見えてしまう様子だった。

結婚から数年で家庭内離婚状態に陥った。それでも別れなかったのは、真弓自身、そして大田家の見栄と、大田勇の打算だった。病院経営を基盤に、熊本県Y市の地縁、血縁を利用してやがて政界に出たいという野心が大田に芽生えていた。院長とは名ばかりの大田家の婿養子という屈辱的な地位に甘んじている気持ちはさらさらない。

結局、二人とも打算で結婚したにすぎなかった。

午前中の診察を終えて、地下一階にある職員専用の食堂に大田は急いだ。昼休みも若手医師と交流する貴重な時間だ。トレイに日替わり定食を載せ医師三人がかたまって食事をしている横に座った。三人は食事中にもかかわらず真剣な顔つきで話に夢中になっていた。

「いいかね」

「どうぞ」泌尿器科の渡井医師が答えた。

四十代半ばで泌尿器科の医師としてはすぐれているが、患者の対応に難がある。若い頃から「先生」と呼ばれることに慣れ、エリート意識を体中から醸し出している。悪気はないのだろうが患者にも傲慢な対応をしてしまう。それが災いして泌尿器科の患者は聖徳会日野病院に流れている。

「いや、聖徳会病院の日野先生の手術を受けたという患者をたまたま私が受け持ったんですが、奇妙な話を本人から聞かされて、どう対処したらいいのか相談にのってもらっていたんです」

隣接するA市に聖徳会日野病院はある。地元患者が泌尿器科の日野誠一郎医師に寄せている信頼は厚い。

「奇妙な話って、どういうことですか」大田が聞いた。

渡井医師は食事を摂るのも忘れて、担当した柳沢裕子という患者について説明を始めた。渡井の話がただならぬことだとわかると、大田自身も目の前の食事に箸をつけることを忘れた。

「その患者さんの執刀医が日野先生だというのは間違いないのですね」

「本人はそう言っていました」

「渡井先生、申し訳ありませんが、その患者さんのカルテを私のところに持ってくるようにナースに伝えてください。それとこの件は私に任せてください。今の話も口外しないように」

大田は渡井だけではなく、相談にのっていた二人の医師にも念を押した。

日野誠一郎は犬の鳴き声で目を覚ました。番犬としてラムとフレディの二匹を庭に放して飼っている。

離婚してから十年の歳月が流れている。一人暮らしになってもそれほど不便を感じるわけでもない。妻は、あまりにも身勝手すぎる、ついていけないと日野を責め離婚を求めてきた。妻の言い分はもっともだと思ったので、言われるままに離婚届に印鑑を押した。

一人娘の長女由香里は東京の大手出版社に就職して、年に数度九州に取材があった時に顔を見せるくらいだ。

家事は週に二度、お手伝いさんが来て掃除をしてくれるので家の中は比較的きれいだ。せいぜい汚れた洗濯物が溜まるくらいで、家には睡眠を取りに帰宅する程度だ。勤務する聖徳会日野病院までは年代物のホンダシビックで通勤している。

祖父の代から続く医師の家系で、聖徳会日野病院が正式な名称だが、地元の人たちは聖徳会病院と呼んでいた。内科、外科、泌尿器科の三科の総合病院で、日野は泌尿器科の部長で、院長は叔父の日野三郎に任せている。

日野の家はA市郊外の山の中腹にあり、家に近づくに従って道は狭まり、車一台がようやく通れるほどの道幅になる。運転が苦手な日野は、ブロック塀や石垣に車体を擦ってしまう。

愛車の塗装は剥がれ落ち、鉄板が剥き出しになった部分から鉄錆が滲み出ている。それどころかバンパーは前も後ろも今にも落下しそうで、ガムテープで幾重にも巻かれている。長女の由香里からは帰郷するたびに、少しは医師らしくするように注意される。しかし、姿形で医師の能力が決まるわけではない。日野は身だしなみに気を遣う気持ちはまったくない。

朝起きると、顔を洗いトーストとインスタントコーヒーで朝食を摂り聖徳会病院に向かう。着るものはお手伝いさんが洗って、たたんで置いてくれたものを上から順番に着ていくだけだ。ズボンをはき、夏でも冬でも、アンダーシャツの上に白衣という格好だ。普段から着るものに関心がなかったが、離婚後はさらにひどくなり、白衣を着ているからかろうじて医師とわかるくらいだ。

趣味もなく、四六時中患者のことしか考えていない。そんな生活にうんざりして妻は耐え切れずに去っていった。自分でも離婚されても仕方ないと思っている。由香里から聞かれたことがあった。

「お父さんは医師なのに、うちは何故貧乏なの」

娘が感じるくらいだから同じ思いを妻も抱いていたに違いない。

金にも執着心がない。生活できればそれで十分だと思っている。離婚する以前、妻としばしば言い争いになった。患者に金を貸したり、患者やその家族から保険の勧誘を受けたりすると、その場で何も考えずに署名してしまうからだ。妻から銀行通帳を突き付けられたことがあった。毎月の生命保険料の支払いは三十万円を超えていた。

「あなたが事故で亡くなりでもしたら、私は保険金詐欺で訴えられても仕方ないほど契約をしているんですよ」

それればかりではない。節税対策をすれば少しは税金も減らすことはできるが、そこまでして金を貯めたいとも思わない。

金に頓着がないから、安易に患者に金を貸してしまう。患者からバスの帰宅ではしんどいといわれ、診察室でタクシー代を求められると、大金ではないが、その場で貸し与えてしまう。返済されたことはほとんどない。それがわかるから看護師が止めに入ってくれるが、患者は待合室で日野医師がトイレや食事のために診察室から出てくるのを待ち構えてタクシー代やタバコ銭をたかる。

金銭面にだらしないとしか妻には映らなかったのだろう。しかし、誰にでも金を出しているわけではない。ある基準を設けて日野は患者の要求に応えていた。一人暮らしや家庭が困窮し、経済的な余裕がまったくない患者には、戻ってこないことを承知の上で金を貸していた。

Ａ市は戦前、そして戦後の一時期は炭鉱町として栄えた。エネルギーが石炭から石油に移行すると、街は疲弊する一方で代替産業を見出せずに、今では典型的なシャッター街になっている。不況は東京の人間が想像する域をはるかに超えていた。

日野が担当している腎臓病患者、特に透析治療を受けなければならない患者の就職状況は厳しいものになりがちだ。失職すれば、なかなか元の職場に戻れないのが現実だ。透析を受けると、血液の老廃物を人工透析器でろ過するとともに、水分も急激に除去しなければならない。透析中に急激に血圧が下がり、失禁する患者もいれば失神する者もいる。

また、透析を受けてからの期間が長くなれば、最終的には末期がん患者と同じで、残された人生をどう過ごすかという命題を突きつけられる。医師であるが故に、おおよその余命は判断がついてしまう。家族に囲まれて有意義な人生が送れる患者であれば、借金の無心などしてこない。

困窮した患者に仕方なく貸す金など、それは砂漠に降った一滴の雨のようなもので、患者にとっても意味のあることには思えないが、タクシー代やタバコ銭で少しは気が安らぐのなら、それも医師の役目ではないかと、家族の迷惑なども忘れて頼まれるがまま財布を開いてしまうのだ。

日野の父親もそうだった。医療保険制度がまだ不十分だった時代で、医療費が払えない患者に父親は請求したことさえなかった。すまないと感じた患者は自分の田畑で収穫できた米や野菜を、漁師は魚を治療費代わりに持ってきた。それで医療費を相殺していた。医師とはそういうものだと父親から教育された。

二匹の犬は相変わらず吠えている。

日野はベッドから起きるとエアコンのスイッチを入れた。無機質な音とともに温風が部屋に広がる。耐用年数はとっくに過ぎているのだろう。設定温度を二十八度にしてもなかなか部屋の温度は上昇しない。

歯を磨きながら洗面所の窓から外を見ると、警察車両三台が止まっていた。近所で事件があったのかもしれないが、日野はサイレンの音を聞いていない。

間もなく「日野先生、いますか。A警察ですが」という声が聞こえてきた。呼び鈴はつけてあるが、何年か前の台風で配線が断線し、インターホンは繋がらない状態になっている。

顔を洗いタオルで拭きながら玄関に急いだ。歩くたびに廊下が軋《きし》んだ。玄関のドアを開けるとグレーのダウンコートを着た男二人が立っていた。

「日野先生、A警察までご同行ばお願いします」

年配の方の男が、警察手帳を示しながら言った。

「そげんこつ急に言われても困る。これから患者の診察が待っとるとばい」

「聖徳会病院には警察から連絡しますけん、それは心配なかです」

二匹の犬はさらに吠えたてた。

「こらっ、静かにせんか」

日野が命じると、犬は吠えるのを止めた。

「どういう理由でわしが警察に行かねばならんとですか」

「それは警察に行ってから説明します」

眼鏡をかけ、若くて神経質そうに見える刑事が言った。日野は着替えを済ませるように急きたてられた。さすがに白衣を着て警察に出向くこともできずに、洋服ダンスからセーターを取り出して着込み、玄関を出ると両脇を二人の刑事に囲まれた。日野はそれほど身長も高くなくどちらかといえば痩せている。屈強な二人の刑事に挟まれた格好でそのまま黒塗りの車の後部座席に乗せられてしまった。

警察に着くと、取調室へ案内というより連行された。部屋の中はエアコンが効き過ぎて温度が高く乾燥していた。窓は高く、外の風景は見ることができない。窓からは四角に切り取られた枯れた木立だけが見えた。六畳ほどの広さで部屋の中央には机が一つ置かれ、向き合うようにパイプ椅子が二つ並んでいた。部屋の角には小さな机があり、ノートが置かれていた。

二人の刑事はダウンのコートやジャケットも脱ぎラフなスタイルで、これから取り調べをするぞという意気込みが伝わってくる。

日野はただ診察時間が迫ってきていることだけが気になった。

「聞きたかこつがあるとなら、早く済ませてくれんか」

日野はいつになく苛立ちながら言った。

「今日はおそらく病院に行くことはなかでしょうけん、慌てないでやりましょう」

年配の刑事は末永と名乗ったが、名刺は出さなかった。末永が日野の前に座った。

若い刑事は越水で、取り調べは二人でやるらしい。越水は動物園の檻に入れられた虎のように同じところを行ったり来たりして、目障りで日野の苛立ちはさらに増幅した。

末永はタバコに火を点けた。ゆったりと燻らせた紫煙がエアコンの吹き出し口から流れてくる温風で部屋全体に充満した。

「タバコは苦手だけん、止めてくれんか」

末永に言ったが、消すどころかくわえタバコで話を始めた。

「日野先生は一日にどれくらいの患者さんを診察されるとですか」

末永の訊問が始まると、ようやく越水が部屋の隅の机に着きメモを始めた。

「日によって違う。十人診察する日もあれば、二十人の患者を相手せにゃならん時もある」

「二十人、そりゃあ多かですね」

「それが仕事だけん、仕方なか」

「患者の名前は全部覚えとりますか」

「そりゃあ、無理な話たい。回ってきたカルテを見て診察しとる」

「それではお聞きしますが、大平剛という名前にご記憶はありますか」

聞いたことのある名前だが、すぐには思い出せない。カルテを見れば、患者の顔も思い浮かべることができるが、名前だけではどうしても思い出せない。

「その大平剛がどうかしたつか」

わざと突っ返すような口調で答えた。

「大金ば回してくれたのと違いますか」

部屋の隅で日野の証言を記録していた越水が挑発するように言った。

「何ばいいよっとか。そらどういう意味な？」

日野はウソをついているわけではない。田舎のことで寸志と称して封筒に金を入れて渡そうとする患者や家族がいるのも事実だが、そんな金は一度たりとも受け取ったことはない。末永、越水の真意がわからずに日野が聞いた。

「わしは何か罪ば犯して逮捕でもされたのか」

「それはなかです。あくまでも任意で事情聴取に応じてもらっていると考えてもろうて結構です」末永が即答した。

「任意ならこんな不愉快な聴取は断る」

日野が席を立とうとした。

「先生が執刀された臓器移植手術の中に、臓器売買で腎臓摘出が行われたケースが出とります。それでお話を聞かせていただこうと思うて、こうして来てもろうとります」

末永の目つきはそれまでの温厚なものではなくなっていた。人を威圧するというより、反論は許さないと恫喝するような視線だ。

「臓器売買……」

寝起きに冷水を顔にかけられたような気分だった。それまでに六百件以上の移植手術をこなしてきた。しかし、売買などもっての外で、そんなケースに関わったことなど一度としてない。

日本移植学会の倫理指針では、生体間移植は六親等以内の血縁者か、あるいは三親等以内の姻族に限られ、親族以外からの臓器移植の提供を原則的に禁じている。第三者から提供される場合は、病院の倫理委員会で承認を得なければならず、有償提供の回避に十分留意するよう定めている。それまで執刀してきた多くのケースは親族間による移植だった。親族とはいえ、移植によってそれまでの人間関係にゆがみが生じることは熟知している。

　妻から腎臓を提供してもらった夫の中には、預金名義を妻の名前に書き替えたり、不動産の名義を変えたりした夫婦もいた。本当は提供したくはないが、世間体を考えて兄のために提供した弟。その弟のために親の遺産相続を放棄した兄。親族間とはいえ生体間移植の及ぼす影響には計り知れないものがある。

　それが果たして売買となるのか。それを臓器売買とすれば、多くのケースはなんらかの形で金銭が絡み、臓器売買になってしまうではないか。それとも自分の知らないところで売買が行われていたということなのか。日野は喉の渇きを覚えた。

「先生にお茶でも出してやってくれ」

　末永の言葉に越水がすぐ席を立ち、茶渋の付いた大きめの湯飲みにお茶を入れて運んできた。病院で看護師が淹れてくれるお茶よりもまずい。喉を潤すだけだった。日野が動揺したとでも思ったのか、末永が言った。

「先生、事実をすべて話して早く楽になりましょう」

　憮然として何も答えなかった。答えるべき言葉がなかった。何が起きているのか、日野には想像もつかなかった。末永の言葉に言いようのない怒りだけが膨らんでいく。

　末永は臓器売買の経緯をこう説明した。

発端は大平剛に腎臓を提供した柳沢裕子が警察に相談にきたことだ。柳沢の相談は腎臓を提供したにもかかわらず、約束の金が支払われていないというものだった。当然、警察は色めきたった。臓器移植法は金銭の授受を固く禁じている。

大平は柳沢に新車一台と三百万円の現金を渡すと約束していた。車と百万円は支払われているが、残金の二百万円がいまだに振り込まれていないというのが柳沢の主張だった。さらに大平と柳沢の関係だが、聖徳会病院では、兄と妹ということで申告したが、実際には大平の内縁の妻である岡崎恵子の友人であることが判明した。

「日野先生も他人間での生体移植は禁じられているのはご存じですよね。ましてや金銭がらみの移植手術は犯罪ということも承知の上で手術なさったとですか」

末永は慇懃無礼で、日野を動揺させ、怒らせようとしているのは明らかだ。大平の名前だけでは思い出せなかったが、柳沢裕子の名前で記憶がよみがえってきた。

診察室に入ってきた柳沢裕子は日野の前で泣いていた。柳沢は兄が貧しかった一家の家計を支えるためにどれほど働いてきたかを訴えた。

「兄を助けてやってください」

その言葉を日野は疑うことなく信じた。

「あれが全部ウソだったのか」

日野は独り言のように呟くと、「全部ウソだったとです」と末永が答えた。日野の顔を覗き込むようにして聞いた。「先生は事実ば知っていたんではなかつですか」

「知っていたら移植手術なんかするもんか」

日野は末永を怒鳴った。

大平剛が柳沢裕子を連れてくるまでの経緯を何度も聞かれた。さらには兄妹の関係を戸籍で確認したのか、移植手術によって診療報酬以外に金銭報酬を受け取っていないかを執拗に聞いてきた。末永はしつこいというよりくどかった。

兄妹の関係を戸籍まで取り寄せて確認することは怠った。手抜かりと言われれば、認めるしかない。

「妹と紹介され兄の前で涙を流す姿を見れば、わしは疑うようなことはせん。信じたことが犯罪になるなら、わしは裁判も受ける。刑務所に入れというなら入る」

しかし、金銭の受け渡しなどは一切ない。このことは天地神明に誓って潔白である。取り調べは昼食をはさんで夕方まで行われた。

末永は警察の車で送らせると言ったが、そんな気分にはなれずにタクシーで帰ると断った。患者のことが気がかりで聖徳会病院に戻らなければならないと思った。外来患者は他の医師が担当してくれただろうが、入院患者は今からでも診察できる。

A警察を出た。巣から飛び出してきた蟻のように新聞記者が日野を取り囲んだ。彼らは道を塞ぎ、日野は身動きできなくなった。新聞記者たちはすでに事件の概略を知っているらしく、大平剛、柳沢裕子との関係について同じ質問を浴びせかけてきた。

「何故、兄か妹かをちゃんと確認しなかったんですか」

「わしは患者を疑うようなこつはせん」

「生体間移植は身内のものに限られているのはご存じなんですか」

「そげなことは知っとるが、今言うた通り、患者の妹だと信じ切っていた」

新聞記者の口調は挑発的であり喧嘩腰だった。

「日野先生も、患者から報酬を受け取ったのではありませんか」

怒りで体が震えた。父からは金があろうがなかろうが、すべての患者に全力を傾けて治療に当たるのが医師の仕事だと教えられた。その教えに背いたことなどない。

「何ばいうとか。誰がそんなことをするか。患者からびた一文金をもらったことなんかなか」

日野は取り囲んだ記者を分けて、警察前の通りに出てタクシーに乗ろうとした。しかし、新聞記者は金魚の糞のように付いてくる。

「先生も本当は車の一台くらいもらっているんじゃありませんか」

無礼な質問を礫のように投げつけてくる品のない連中だと思った、新聞記者というのは。

新聞記者はほとんどが標準語を用いていた。どうやら熊本県の記者ではないらしい。すべて東京から急遽派遣された記者ばかりのようだ。普段から新聞記者との付き合いはほとんどないが、それでも顔見知りの地元記者の一人二人はいる。彼らは日野の性格は知っている。金儲けで臓器を斡旋したり、特別な報酬をもらって手術をしたりする医師ではないことはわかってくれているはずだ。

記者は最初から日野が臓器売買に関係し、斡旋、移植手術によって何らかの報酬を得ているような口ぶりで質問をしてきた。相手にするのも腹立たしく、日野は一分一秒でも早くその場から立ち去りたい思いだった。彼らの矢継ぎ早の質問に答える気はまったくなかった。

翌朝、全国紙、ローカル紙も臓器売買のニュースがトップ記事扱いになっていた。センセーショナルな見出しばかりだった。

「臓器売買、患者と仲介役逮捕　ドナーに現金・車」

記事によると、半年前に行われた生体腎移植手術に絡み、金銭授受があったとして県警生活環境課とA警察署は、臓器移植法違反（臓器売買）の疑いで、臓器を受けた大平剛と移植を仲介した同居の岡崎恵子の両容疑者を逮捕するとともに、聖徳会日野病院など関係三ヶ所を家宅捜索、同署に特別捜査本部を設置した。一九九七年の同法施行後、臓器売買の摘発は全国で初めてだった。

金銭の授受については、末永刑事から聞いたことが記されていた。A警察がマスコミ各社に同じことを発表したのだろう。大平、岡崎の両容疑者は容疑事実を認めている。

腎臓を提供した柳沢裕子にも任意で事情を聴いているらしい。

今後の捜査では、病院が臓器売買を認識していたかどうかが焦点となるとしていた。国内では年間千件程度の移植手術が行われるが、その年の最多は一位東京女子医大、二位名古屋赤十字病院、三位が聖徳会日野病院だった。聖徳会病院の手術は日野一人が担当していた。

記事はほとんどの新聞が日野医師の風貌、人格にまで言及していた。

「裸足にサンダル、下着の上に白衣」「常識はずれ」「変わり者医師」

こんな見出しが躍っていた。日野医師も犯罪者扱いだった。

第二章　移植マニア

　聖徳会日野病院は熊本県A市南部の山沿いに建てられている。祖父がこの地で個人病院を開業し、父親が現在の聖徳会日野病院の基盤を作った。羊羹《ようかん》の箱を重ねたような三階建ての病院は父親が建設したままで老朽化は否めない。ビルのメンテナンスは定期的に行っているが、有明海から流れてくる潮を含んだ雨風のためにいたるところにひび割れができて、そこにはコンクリートで補強した跡がくっきりと映し出されている。

　病院玄関を入るとすぐ右横に受付、会計があり、その前にかなり広いスペースを取り、長椅子が並ぶ待合室になっている。左側は泌尿器科の診察室だ。横長な建物の中央を廊下が真一文字に走り、その廊下を挟んで反対側はすべて透析ルームになり、ベッドが横一列に並び患者が透析を受けられるようになっている。エレベーターは玄関を入り廊下を右に曲がったその突き当たりに設けられている。

　二階には内科、外科の診察室、レントゲン室、検査室、医務室、会議室があり、三階が入院患者の病棟とナースセンター、手術室とICUに割り当てられている。

　病院の実質的なオーナーは日野誠一郎で、建設業者が毎年建替えを進言しているが、日野は聞き入れようとはしない。

「どこにそげん金があっとか」

高台のしかも南向きに建てられ、内部にも十分な照明が施されているが、壁は灰色で、いたるところにシミが浮かび上がり、病院全体が暗く淀んでいるような印象を受ける。それでも患者は聖徳会病院に足を運ぶ。それは地域に根ざした病院というだけではなく、日野の独特な性格に信頼を寄せる患者が多いからだ。

診察は九時からだがその日も三十分前には病院に着いていた。玄関を入ると、受付前の待合室にいる患者や付き添いが一斉に日野の方を見た。皆、テレビや新聞の報道で臓器売買の事実を知っているのだろう。患者の顔に困惑の表情が浮かんでいる。

「日野先生、元気だしてください」

女性の声がした。視線を待合室に向けると、奥の椅子に座っていた若い女性が立ち上がり会釈した。その横にもう一人の五十代半ばの淡い小豆色のセーターを着た女性がいた。透析患者の高倉治子で、挨拶してきたのは娘の裕美だった。

治子の透析はもう限界にきていた。

「娘の結婚式を見てから死にたい」治子の口癖だ。

何とか裕美が高校を卒業するまでは透析でやり過ごしてきたが、治子の望みをかなえてやるためには移植しかない。離婚した母親の手一つで裕美は育てられてきた。母親がスーパーマーケットのレジの仕事をしながら生活を支えてきたが、それだけでは生活は成り立たない。裕美は熊本市にある衣料品店でアルバイトをしながら看護師専門学校に通っていた。日野の友人が経営する衣料品店に頼み込んでアルバイトに採用してもらったのだ。

「今日もお母さんの付き添いか」

どう対応していいのかわからずに、日野は苦笑いを浮かべながら診察室に入った。臓器売買事件は新聞だけではなくテレビのワイドショーにも取り上げられている。いずれは収まるのだろうが、ほとんどが同じ論調で報道している。

高倉治子は朝早くから順番待ちをしていたのだろう。三番目の患者だった。先週行った検査結果がカルテに添付されていた。尿検査では蛋白が混じり、身体の老廃物を排泄する能力を示すクレアチニンクリアランスの数値も悪化している。採血検査の結果も、血中尿素窒素も決して良くない。腎不全になると、ろ過機能が正常の六〇パーセント以下になり、一〇パーセント以下に低下すると透析治療を導入しなければならない。

透析をするため治子は内シャントをまず利き腕の反対の左側に設けた。内シャントとは動脈と静脈を皮下で接合し、動脈から静脈に大量の血液を流れさせ、静脈の血流をよくするものだ。動脈側血液回路に針を刺し、そこから血液をダイアライザーに送り込みそこで血液中の老廃物をろ過して静脈側血液回路から体内に戻す。透析は一分当たり一五〇から二五〇ccの血液を透析回路に送り込む。それが四時間から五時間も継続するのだ。患者に与える肉体的負担も大きい。

その上、透析期間が長くなると、血管に狭窄や閉塞が生じ、そうした場合はシャントを別な場所に作らなければならない。治子の左腕は限界に達し右腕に作った。その右腕がいつまで持ちこたえてくれるかという状況だった。

訝《いぶか》る表情を浮かべる日野に裕美が言った。

「私の腎臓をママにあげたいんです」

「もうその話はせんでよか」治子が裕美を制止した。

治子の顔には老人特有のシミが表れ、髪もほとんど白髪だ。腎臓病との長い闘いの影響が体の至るところに現れていた。治子は娘の腎臓を移植してまで生きたいとは考えていなかった。しかし、裕美は自分を育ててくれた母親に自分の嫁ぐ姿を見せたい一心で、移植を申し出ていた。

生体腎移植の場合、ドナー（移植臓器提供者）の七三パーセントが親で、次に多いのは兄弟姉妹で一七パーセント、子がドナーになるケースは〇・九パーセントと一パーセントにも満たない。子供の将来を考えれば当然の結果だろう。

「先生、ママの命をなんとかして救ってください」

「できる限りのことはするけん、もう少し様子ば見てみよう」

日野は治子の余命を一年前後と判断していた。歯切れの悪い返事しかできない。

「袖をまくって」

日野は血圧を測ろうとした。

セーターの袖をそっと上げながら治子が自慢げに言った。「娘がクリスマスにプレゼントしてくれたとですよ」

「よか色しとるねえ」日野が言った。

「日野先生が紹介してくれたお店の品物なんです。普段は高くて買えないんですが、売れ残ってバーゲンセールに回す前に、オーナーが従業員に安く売ってくれるので、それを買いました。本当はダウンのコートば買いたかったんですが、それは売れてしもうて……」裕美が照れくさそうに答えた。

「血圧はまずまずだ」

治子は診察室を出ると、透析ルームに入った。裕美は専門学校に向かい、治子の透析が終わった頃迎えに来て、母親を家に送り届けてからアルバイトに行く。移植に回せる腎臓があれば、治子を救うことができるが、とにかく移植用の腎臓が見つからないことには手の施しようがない。移植のチャンスは砂浜に落としたダイヤの粒を探す以上に困難なのだ。

その日の仕事を終えると、院長の日野三郎に呼ばれた。元々内科を担当してもらっていたが、高齢のために現役は退き経営に専念してもらっている。院長室といっても、会計の部屋の隅にパーテーションで仕切られたスペースが院長室にあてられている。

「厚労省の調査が入るらしい」

院長にも迷惑をかけてしまったが、診療報酬以外、金銭の授受などないのは明白で、日野は「わかりました。私が対応します」とだけ答えた。

二日後、厚生労働省も事件の全容調査に乗り出してきた。厚労省の奥村聡健康局局長が派遣されてきた。奥村は三十代後半から四十代くらいの年齢に見えるが、スキンヘッドで少しブラックが入った度の強そうなサングラスをかけていた。黒のスーツに濃紺のネクタイをしてとても厚労省キャリア官僚には見えないが、臓器移植法成立の立役者とも評されていた。

奥村と一緒に東京からは厚労省詰めの記者も同行してきた。病院に入るなりストロボをたいた。日野誠一郎の撮影はかまわないとしても他の医師、看護師、待合室で順番待ちをしている患者にまでカメラを向け、勝手にインタビューを始めた。一社が口火を切ると、もう制止のしようはなかった。

「わしはかまわんが、他の医師や職員、患者には勝手に取材されては困る」

日野が強い口調で言うと、「取材されたら困ることでもおありなんですか」と平然と切り返してくる記者もいた。普段は人権だとかプライバシー、個人情報保護法などと声高に叫んでいるわりには、同行記者団は傍若無人《ぼうじゃくぶじん》な取材ぶりだった。

日野は奥村を院長室に通した。記者団も入ろうとするので、それを断り奥村だけを院長室に招き入れた。記者団も憮然としていたが、奥村が戸惑ったように言った。

「これだけの社会的な大問題を引き起こしているのに、何故記者に取材させないんですか」

この言い草に驚いたのは日野だった。

「こんな狭か部屋にあんな人数の記者は入れられんし、それに患者のプライバシーに関わることを記者団にも聞かせろとでも言うとですか、あんたは」

日野が平身低頭の対応をしてくるとでも思っていたのか、奥村は次の言葉を口ごもった。

院長室には壁に接するように椅子と机が置かれ、その前にソファがセンターテーブルを挟んで向き合うように並べられているが、脚を伸ばせるほどのスペースはない。その隙間に入り込むようにして奥村は座った。小柄な日野は院長の机を背にして奥村の正面に座った。

「いただきましょうか」奥村は早く抜け出したいのか、挨拶も来訪の主旨も告げずに言った。

「何を？」意味がわからずに日野が聞き返した。

「決まっているでしょ、報告書ですよ」

「報告書？　院長から厚労省の調査が入るとしか聞いとらん」

「わざわざ本省から調査に来るわけだから報告書を準備するのは常識でしょう」頭から押さえ込むような口調で言った。

「何についての報告書かも聞いとらんに、どうして準備のできるとか」

「臓器売買ケースに関する報告書に決まっているでしょう」

奥村は跳ねるように立ち上がった。その拍子に向こう脛をセンターテーブルの淵にぶつけた。

「明日また来る」痛みに顔をゆがめながら言った。

日野は医務室に戻り、ナースセンターから大平剛と柳沢裕子のカルテを持ってこさせ、報告書を作成した。

大平剛を診察したのは三年前だった。慢性腎臓病だったが、すぐに人工透析が必要な症状でもなく、保存期腎不全の治療を行っていた。腎機能は健康な人の三〇パーセント程度、食事療法によって腎不全の進行を遅らせることに努めた。蛋白質、カリウム、塩分の摂取量を制限した。

蛋白質は牛乳、肉、魚、卵などに多く含まれており、摂り過ぎれば体内に老廃物が蓄積する。カリウムは腎不全によって尿への排泄が低下するため体内に蓄積される。カリウムの血中濃度が高くなり、不整脈を引き起こし、最悪の場合は心臓が停止する。カリウムは生野菜や果物に多く含まれるために、野菜、果物の摂取量は減らさなければならない。

すぐ近くにミカンの産地があるにもかかわらず患者はミカンを口にすることができない。入院患者の中には看護師に隠れてミカンをこっそり食べる者もいる。しかし、命に直結するだけに看護師も見つければ真剣に注意せざるを得ない。

塩分は血圧を上昇させ、喉が渇き水を飲み過ぎてしまう。そのために塩分の摂取も厳しい食事制限を受ける。

どんなに注意していてもやはり腎不全は進行する。大平は聖徳会病院で治療するようになってから一年後に人工透析を始めた。透析は週三回のペースだった。透析を続けている限り現状では生命の危険性は考えられなかった。

しかし、透析治療を受けながら医師、看護師、それに透析を受ける患者から知識、情報を得て、いずれは自分にも末期が訪れること、根本的な治療方法は移植しかないことを知らされた。不安ばかりが増幅したのか、透析から一ヶ月が経過した頃から移植を訴えてくるようになった。

日野は当然のことながら、腎臓移植が困難な現実を説明した。

それから間もなくだった。柳沢は一人の女性を伴って診察に現れた。

「妹の柳沢裕子です。妹が腎臓を提供してくれると言うとります」

大平は沈痛な面持ちで言った。

柳沢裕子は診察室に入った時から目に涙を浮かべていた。子どもの頃は貧しい生活を送っていたが、兄が家計を支えてくれた。兄のためなら喜んで腎臓を提供すると語った。その声は泣き声に変わり、診察室の外に漏れるくらいだった。

日野はその言葉を鵜呑みにした。迂闊と言われればその通りだ。戸籍を提出させて本当の兄妹かの確認を怠った。これまでも多くの生体移植を行ってきたが、戸籍まで取り寄せての確認はしていない。

手術前、当然、柳沢裕子の意思確認は日野自身が行った。手術後、腎臓は一つになるが正常に機能していれば日常生活に支障がないことは何度となく説明を繰り返した。また大平剛に対しても、移植したとしても定着しない可能性もあること、その場合でも人工透析に戻ることは可能である旨を説明した。

こうして移植は行われた。その後のことは新聞報道の通りだ。

翌日、日野が診察を終えそうな時間に奥村はやってきて、ズケズケと院長室に入り込み、そこで待っていた。院内は禁煙にしてあるが、センターテーブルの上に置かれた灰皿には半分ほど吸ってねじり消したタバコが五、六本ほどあった。周辺には灰が散乱していた。

日野は机の上に用意しておいた「報告書」を手渡した。Ａ４用紙に二枚だけだった。

「これだけですか」奥村は呆れきった顔で日野を見た。

「それだけたい」日野は報告書に書かれている内容を口答で再度解説した。

奥村はそれを聞きながら報告書にメモを書き足していた。

一通りの説明が終わると、奥村が尋ねた。

「日野先生、インフォームドコンセントをどのようになさっているのか、それを教えていただきたいのと、その説明をドナーが理解、納得したという同意書のコピーをいただけますか」

「同意書なんてもんは取っとらん」

想像もしていなかったのだろう。柔道のオリンピック代表選手が初心者に一本背負いでも食らったかのように、奥村は金魚のように口をパクつかせているが声が出ていない。

「そんなもんは何か問題が起きた時、病院と医師が保身のために作ったもんたい。患者についてては医師が責任を取ればよか」

「ホントに同意書を取っていないんですか」かすれる声で奥村が聞いた。

「ああ、取っとらん」

奥村は二の句が継げなかったのか、しばらく黙り込んでしまった。

「取っとるのは手術に対する承諾書だけたい」

それは盲腸の手術に対しても患者に求める承諾書で、移植手術に関する特別なものではない。

奥村は眉間に皺を寄せ困惑しきっていた。

移植学会の倫理指針によって生体腎移植に関する同意書は詳細、綿密、広範囲にわたってドナーに同意と了解を求めている。その内容は腎臓提供前に行われる検査、危険性、さらに手術、手術後の処置、考えられる合併症についてＡ４用紙に五枚に列挙されている。

「日野先生、一度本省に戻り再検討した上で再度お話をうかがうことになると思いますが、協力してもらえますね」

「納得するまで調べたらよか」

同意書を取っておけば、インフォームドコンセントについては問題が生じないなどというのは、医師、病院側の傲慢さとしか日野には感じられなかった。移植医療に失敗した時、あなたは納得して危険な手術を受けたのではないかと、患者を押さえ込むための書類としか日野には思えなかった。同意書があろうがなかろうが、医師と患者の間に信頼関係が築けた時に、最大の危険と隣り合わせの手術が行えると日野は考えていた。

新聞、テレビ、週刊誌の報道は、日野が臓器売買に関与して、報酬を受け取っていたか否かに集中した。しかし、その事実はないし、逮捕された二人も否定したらしく、警察発表もその点にはいっさい言及しなかった。その後、警察から聴取されることもなかった。

奥村が東京に戻り一週間が経過した。厚労省から連絡があり、臓器売買のケースだけではなく聖徳会日野病院で行われた腎臓移植手術について調査したいと言ってきた。拒む理由がないので日野は快諾した。

奥村を含む四人のスタッフがレシピエント（臓器の移植を受ける患者）とドナーのカルテを調べ始めた。日野はすでに六百五十例を超える移植手術を行っていた。奥村は最新のケースから調査を開始した。

奥村たちは朝から夕方までカルテを調べ、滞在ホテルに戻ると記者会見を開いていたらしく、同行記者団に病院側や患者の許可なく情報を流した。その直後からマスコミが移植を受けた患者のところに殺到した。奥村から取材先がリークされているのは明白だった。患者のプライバシーなどまったく無視された。

一方的な情報で、激しい夕立の後、側溝から溢れ出る汚水のような日野バッシングが始まった。

「神の手を持つ医師　疑惑の腎臓移植」

「赤ひげ医師か、移植マニアか」

「腎臓ホリック　日野医師の猟奇的移植手術」

一度、犯罪者と決め付けたマスコミ論調は変えられないのか、報酬を受け取った事実がないとわかると、日野の医療行為そのものに矛先を向けた。日野は「移植マニア」と呼ばれるようになってしまった。

東京から派遣されてきた記者は病院の待合室で、日野が通るのを待ち構えていた。日野には、書き放題の記者を相手に話す気持ちは失せていた。エレベーターで一階に降りると、張り込みの記者と出くわした。

「日野先生、レシピエントを選択する基準をおっしゃってください」

どこの記者か知らないが、質問を浴びせかけてきた。

「そんなものはなか。まあ、敢えて言うなら、君と私がエレベーターで偶然に顔を見合わせたように、出会いがしらでレシピエントは選んどる」

日野は皮肉をこめて言った。どの患者でも移植のチャンスを待ちわびているのだ。

待っている間にほとんどの患者が亡くなっていく。そんなことは腎臓疾患、透析患者の実態を調べればすぐにわかる。出会いがしらにレシピエントを決められるはずがない。

これを皮肉と理解するくらいの知性はあると思っていた。しかし、翌日の紙面を見て、日野は呆れ果てた。

「レシピエント決定は〝出会いがしら〟」

東京の出版社で働いている一人娘の由香里から、昼休みに電話が入った。

「親父はほとんど言語障害。記者に言ったことはすべて書かれると思って、病院の広報を通した方がいいよ」

苦笑しながら聞いていたが、どのように説明してもいつの間にか「移植マニア」にされてしまい、それにつながる話しか記事にはならなかった。

日野が移植手術を行った患者のなかには、四度の移植手術を受けて死亡した者もいた。マスコミの取材はその遺族に集中した。最初は母親から提供された腎臓を移植した。手術は成功した。

しかし、その患者は数年後に再度移植手術を受けなければならない状態に陥った。移植後、患者は免疫抑制剤を定期的に服用しなければならない。移植前とは雲泥の差の生活を手に入れると、薬の服用がおろそかになりがちになる。若い患者になると、自分をまったくの健康体と錯覚してしまう。暴飲暴食に走り、免疫抑制剤の服用も不定期になりがちだ。勝手に止めると腎臓へ過度の負担がかかり、元の状態へと戻ってしまう。

亡くなったレシピエントの遺族は日野に対する怨みを述べ立てた。死因は免疫抑制剤を定期的に服用しなかったことと、患者の不摂生な生活が考えられた。しかし、マスコミにはそうした事実はいっさい報道されなかった。

「息子はモルモットにされた」

せっかく母親から移植された腎臓を無駄にしてしまったその患者に、日野はがん患者から摘出された腎臓を移植した。

その患者のがんの病巣は小さく、摘出しなくても再発、転移の可能性は少ないと判断した。しかし、がん患者本人も家族も摘出を望んでいた。この患者だけではなく、多くのがん患者は摘出を希望するのが通例だ。

日野はそうした患者に事情を説明し、摘出した腎臓の提供を求めた。同意はすぐに得られた。摘出された腎臓からがん組織をVの字形に除去し移植した。レストア・キッドニ（修復腎）を用いたのはそれが初めてではなかった。

最初、レストア・キッドニを用いることに躊躇いがなかったと言えば嘘になる。患者は五十代半ばの男性で、透析はすでに限界に来ていた。余命もそれほど長いとは思えなかった。しかし、妻と二人の子供を抱えて、生活も決して楽ではなかっただろう。高校一年生の娘が卒業するまでは生きていたいと日野に訴えていた。

どうしても卒業式を見せてやりたかった。もはや移植しか救う道がないという段階に入った時、腎臓がんの患者が手術を受けることになったのだ。超音波、CT検査の結果からも、それほど大きいがんではないことは診断がついていた。日野は全摘出手術よりもがんの部位だけを除去する方法を勧めた。

しかし、患者は全摘出を望んだ。手術日が決まるまでの間、日野は繰り返し部分切除手術を進言したが、がんの再発、転移を恐れ、患者の決意は変わらなかった。日野は余命いくばくもない透析患者に、摘出される腎臓を提供してもらえないかと話をしてみた。「その方が望むのならどうぞ使ってください」という返事だった。

レシピエントにはがん患者の腎臓であること、がん部分は可能な限り切除するが、再発、転移する可能性があることを何度も繰り返して説明した。

がん患者の手術も透析患者への移植もすべて順調に行われた。心配だったのは、レシピエントのがんの再発、あるいは転移だった。アメリカやヨーロッパにも同じ方法で透析患者を救おうと考えている医師はいるだろうと、漠然とだが思った。しかし、そうした医学論文を目にしたことはない。医学的成果として発表するまでの臨床例がないのかもしれない。

レシピエントは透析から解放されたが、がん検査は定期的に行った。患者の娘は高校を卒業し、地元の会社に就職した。日野はレストア・キッドニの移植手術は、透析患者を救う一つの手段になりうるのではないかと考えるようになっていた。

厚労省の奥村は聖徳会病院が提供したレシピエントの情報をそのままマスコミにリークしてしまった。病院の調査ではレシピエントにがんが再発、あるいは転移した例はなかった。

福岡県T市、佐賀県K市、長崎県I市にある病院が、日野のレストア・キッドニを用いる手術に賛同し、がんで全摘出となった腎臓の提供に協力してくれた。その病院にも取材陣は押しかけ、マスコミによってそれらの病院は「有明海グループ」と名付けられた。

がん患者の腎臓が移植に用いられていた事実がわかると、臓器売買のニュースはどこかに消し飛んでしまい、マスコミの関心はレシピエントにがんが再発、転移するのではないか、そんな腎臓を移植に使う医師はまさに「狂気」と言わんばかりの論調にエスカレートした。

インフォームドコンセントの方法にも、書類上にも不備があった。レシピエントを選ぶ基準も不明確だし、ドナーから摘出すべきか残すべきか、それを検討した記録も特に残されてはいなかったと、奥村は記者団にコメントを発表した。

マスコミ各社は日本移植学会理事長の井上輝雄のコメントを報道した。

「移植の倫理問題以前に、がんに侵された腎臓を移植するなどという行為は、医療として問題が大きすぎる。他人に移植可能な腎臓なら本人に戻すことが先決だ」

「がんを除去して移植したとしても、かなりの高い確率でがんは再発する」

「レシピエントは免疫抑制剤を用いるために免疫機能は低下している。通常の状態よりはるかにがんを発症しやすい状態にあるといえる。がんの腎臓を移植するなどというのは明らかに医療行為から逸脱していてタブーであり、医師としては許される行為ではない」

井上の日野医師批判、非難は止むどころか日ごとに鋭くそして拡大していった。

取材の予定がない時、沼崎恭太はいつも昼過ぎに起きて、コンビニエンスストアの弁当で昼食をすませる。弁当を食べながら新聞に目を通すのが日課だ。新聞や週刊誌からネタを探す。

「がんの腎臓を移植するなんてとんでもない医者がいたもんだ」

聖徳会日野病院のニュースを最初に見た時の印象だ。沼崎はすぐにでも取材したい衝動にかられた。しかし、速報性が要求されるこうしたニュース取材の依頼は、沼崎が所属するようなプロダクションには回ってこない。クリエイティブ・イフプロは弱小プロダクションの典型だ。

代表の野呂は大学時代の仲間だ。二人はジャーナリズム研究会というサークルに所属していた。マスコミ関係に就職を希望する学生が集まるサークルだった。野呂はテレビ界が希望で民放に入社したが、ドキュメンタリー番組が制作できない現実に失望し、クリエイティブ・イフプロダクションというテレビ番組制作会社を早々と立ち上げていた。

イフプロにはよほどの大事件でない限り、ニュース番組の仕事依頼は回ってこない。あったとしても、それはサイド取材の依頼で、メインは局のスタッフか大手制作会社が担当する。その結果、イフプロが手がけるのは話題性のある企画で、たとえばデパ地下の人気グルメの紹介だとか、お笑い芸人を使った人気ラーメン店の紹介などだ。

沼崎はその手の企画に馴染めずに、新聞で報道されたニュースをさらに深く掘り下げるテーマを企画として提出していた。

青木ヶ原樹海の特番が予想外の視聴率をはじき出していたことから、野呂は視聴率の取れる次の企画を考えるように、沼崎の顔を見るたびに口癖のように言った。それまで沼崎はどちらかといえば、インタビューを原稿に起こしたり、ナレーション原稿を書いたり出版社にいた頃と同じような仕事をしていた。

しかし、野呂もいつまでも沼崎を「お客さん扱い」にしているわけにもいかなかったのだろう。カメラマンと組ませて現場を取材させた。青木ヶ原樹海の企画は毎年恒例の企画で、それほど経験がない沼崎にもこなせると野呂が判断し、沼崎に担当させたのだ。

青木ヶ原樹海の映像は遺体発見から通報、遺体収容、警察の現場検証までをライブで撮影できたことで強いインパクトを視聴者に与えた。

G局のニュースや報道特番のプロデューサーにも沼崎の名前は知れわたった。

新聞、テレビ各社がすでに報道したレストア・キッドニ移植をテーマに沼崎は特番を考えた。臓器移植法が成立して最初の臓器売買で、世間の関心度も高かった。しかし、すでに何度も取材を受けている日野医師へのインタビューが実現しても、テレビ的には今さら改めて流すニュースバリューは少ない。

沼崎はこれまでの報道を整理し、レシピエントの直接取材を提案した。視聴者の関心は、がんに侵された腎臓を移植されたレシピエントがどのような説明を受け、移植に踏みきったのか。そして現在どのような生活を送っているか。たとえモザイクが入った映像でも、そうしたレシピエントが複数取材できれば、特番を組むことは可能だし、一人でも取材できれば最悪でも数分のニュースとして放映できる。

各社キー局は傘下の地方局と連携しながら、聖徳会日野病院と日野医師をマークし、連日のように放送していた。レシピエント一人ひとりから話を聞くなどという手間暇のかかる取材にまで、現場のクルーには余裕がない。沼崎の企画はすぐに通った。

G局プロデューサーと企画の打ち合わせを終えて戻ってきた野呂は、疲れ切った顔をしていた。ソファに腰を下ろし、よほど疲れたのか両脚をだらしなく投げ出して座った。

結果を聞こうと沼崎が正面に座ると、脚を引っ込め、座り直し顔を沼崎の方に突き出すようにして小声で言った。

「怒らないで聞いてくれ」

野呂は周囲に目配せをしながら言った。

「どうしたんですか」

「青木ヶ原樹海特番で最後にテロップが流れただろう。あれを見ていてクレームを付けてきた視聴者がいたらしい」

テロップにはイフプロと同時に沼崎恭太の名前も流れた。流れたといっても一秒程度、クレームを付けてきたのは一般の視聴者ではなく、出版界にいる人間か、あるいはテレビ業界のスタッフだと想像がついた。

「局の方にはかなり具体的なクレームがあったらしい。テロップに名前を流さなければ問題はないだろうと言ってはみたが……」

野呂の口調は歯切れが悪かった。

「わかったよ」

沼崎はそれ以上何も言わなかった。

「局側も沼崎の実力は認めているけれど、ちょっとした不祥事でも、問題を起こした新聞記者などのニュースをバンバン流している一方で、週刊ダイジェストでトラブルを起こしたお前が取材しているとなれば、視聴者の批判を招くおそれがある。プロダクションスタッフとはいえ、局側の責任問題に発展する可能性もあるんで慎重にならざるを得ないんだ。今回は腹が立つだろうがこらえてくれ」

野呂が局側の言い分を説明した。局側の言い分も沼崎には理解できる。しかし、いつまでスキャンダルがつきまとうのだろうか。それを考えると怒りを通り越し、虚脱感に襲われた。


大学を卒業し、沼崎は文化メディア社に入社した。最初に配属されたのが週刊ダイジェスト編集部だった。田所満寿夫がデスクを務めるニュース班に所属し、事件取材から入稿、タイトル、レイアウトを叩き込まれた。

ニュース班には七人の専属契約のフリーライターがいた。そのライターに事件の取材を振り分け、ニュースの重大性、読者の関心度などを考慮しながらその記事に割り振るページ数を決めた。最終決定は田所の役目だった。

入社から五年も経過すると、ページの割り振りからタイトルまで自分の裁量で任されるようになっていた。田所もデスクから副編集長を飛び越して、編集長に就いていた。発行部数も常に五十万部を維持し、実売部数も七〇パーセント後半から八〇パーセント台に達していた。

ゴールデンウィーク合併号企画の検討が始まった四月初旬だった。一年前に突如姿を消した二十代の女性が、ストーカーの自宅に監禁され、ストーカーが買い物に出たわずかな時間に助けを求め警察に保護された。現場はマンションの三階だったが、このままでは殺されると思った女性がベランダ伝いに隣に逃げ、そこに住む主婦が警察に通報して、事件は明るみに出た。

女性はトイレに行く以外は部屋に監禁されたまま、十分な食事も与えられずに、手足は枯れ木のようにやせ細っていた。

「沼崎、この女性の手記を取れ。その手記をゴールデンウィーク合併号のトップに使うぞ」

実売部数九〇パーセント台に載せて、背後に迫ってくる週刊ジャーナルとの差を広げたいと田所は考えていた。

田所が手で破り千切った新聞の切り抜きを沼崎に渡した。幼児性が残っているのか、五十歳になるというのに人前で鼻の穴を穿《ほじ》るクセが治らない。鼻クソが付いていそうな切り抜きに目を通した。

警察は早い段階で公開捜査に踏み切り、その女性の名前と写真は公表されていた。しかし、記事には実名が伏せられていた。一年間、どんな監禁生活を強いられていたか、大方想像できる。周囲の好奇な視線に晒されるのを防ぐため、新聞もテレビも実名報道は避けた。

女性の実家はわかっていた。フリーの記者を派遣したところで手記など取れるはずがない。しかし、無理だと答えれば、さらに鼻の穴を穿りながら「いいから黙ってライターを送れよ。途中のプロセスやいいわけはどうでもいい。結果だけを俺のところに持ってこい」と怒鳴り散らすのはわかりきっていた。

それに逆らって異動させられた編集者は一人や二人ではなかった。

沼崎はベテランライターの飯塚忠に手記の交渉に当たってもらうことにした。記者仲間から「チューさん」と呼ばれ、温厚な性格でこうした難しい取材には向いていた。

「満寿夫さんが手記を取れというから動いてみてくれますか。私は九割は無理だと思っています」

ベテラン記者のチューさんにはそれだけで沼崎の真意はすべて伝わる。締切日までにチューさんは、本人からの手記は当然取れなかったが、沼崎の期待通りに近所や女性の親戚、友人からの情報を集めた。女性は精神的にかなり追い詰められ激しく動揺し、夜中に泣き叫んだり、部屋の中を一晩中歩き回ったりしているという。精神科医の分析も取材して、その原稿に二ページを割くつもりでいた。

「こんな原稿使えるかよ。俺は手記を取れと言ったはずだ」

「無理です」沼崎はそれだけ答えた。

本人から直接聞いたことはなかったが、先輩編集者の話によれば、田所は子供の頃に両親が離婚。父親はギャンブルにのめり込んで自己破産、母親は新しい男を作って蒸発したらしい。田所は親戚中をたらい回しにされて成長したようだ。普通なら人の痛みに敏感に反応するのだろうが、田所にはそれがまったくなかった。

「こんな原稿じゃ売れねえんだよ」

アルバイトをしながら大学を卒業したが、金に困ると公立図書館の本を万引きし、それを古本屋で売却したこともあったと、同僚には話していた。そんな経験が背景にあるのか、田所の金への執着心は異様なほど強かった。フリーの記者やカメラマンの原稿料はいちいちチェックしていた。

田所は飯塚の原稿を沼崎に投げつけた。

「こんなもんに金を払う気はねえぞ。これを五ページで入れろ」

手渡された原稿はその女性が実名で記した手記だった。

監禁された女性への人権的配慮、精神的ダメージを考えれば、手記掲載などすべきではないと沼崎は判断した。それが田所にも伝わったのだろう。

田所はもう一人のベテランライター星影弘に女性の手記を取るように同時に指示を出していた。星影がどういう交渉をしたのかわからないが、女性の実名手記を取ってきた。

週刊ダイジェストの合併号は田所が目標にしていた実売部数九〇パーセントを超え、週刊ジャーナルに大きく水をあけた。

しかし、ゴールデンウィークの真っ最中にその女性は自殺した。監禁されている間に彼女は心を病み、健全な判断が下せないまま、星影のインタビューに答え、それを星影は手記の形式に書き換え、女性が了解した証拠に本人直筆の署名も掲載した。

どれほどの反響があるか、彼女には想像もできなかったのだろう。

その手記の入稿を担当したのは紛れもなく沼崎だった。沼崎は責任を取って文化メディア社を退職した。出版の世界など極めて狭い世界で、沼崎の名前はあっという間に知れわたった。再就職の場を失った沼崎に手を差し伸べたのが、大学時代のサークルの一年先輩だった野呂だ。しかし、先輩といっても沼崎は一浪しているので、年齢は同じだった。

プロダクションは十数人の小さな会社で、代表の野呂は人使いが荒い上に給料も安い。スタッフの出入りが激しくて、実際何人が働いているのか、沼崎にもよくわからなかった。それでもスタッフとして迎えてくれた恩義があるので、文句を言いつつも着実に仕事をこなしていた。

しかし、視聴率の取れる企画を立案、映像を制作しなければ、弱小プロダクションはあっという間に倒産に追い込まれる。このままでは野呂に申し訳ないという思いが沼崎にはあった。期待に応えなければと焦りも感じていた。ようやくその一歩を踏み出したと思った矢先に、取材スタッフから外されたのだ。

第三章　インフォームドコンセント

臓器売買事件が大きく報道されて以来、ドナーの柳沢裕子は聖徳会病院に姿を見せなくなった。

「問題はないと思うが、一度診察をしておかんといかんなあ」

日野はその日の外来診察を終え、診察室で一息入れながら言った。たまたま側にいた泌尿器科の加藤静代看護師長の耳にそれが聞こえた。

ベテランで聖徳会病院のすべてを知っていると言っても過言ではない。結婚し、子供二人を出産したが、看護師の仕事を辞める、辞めないで夫と諍いが絶えず、結局離婚した。二人の子供も自分が引き取り、育て上げた。

「病院だけではなく多くの患者に迷惑をかけて一言の挨拶もない人ですよ、そんな心配は先生がやかんでもよかですよ。体調が悪くなれば自分で診察ば受けに来ますよ」

その通りだと日野も思うが、来づらくなっているのであれば、往診してでもドナーの状態を確認しておきたい。自分の腎臓を金で売るのはよほど生活に困っていたからだろう。

これ以上泌尿器科の診察室にいると、加藤の叱責はさらにエスカレートする。日野はすごすごと二階に上がった。

　マスコミは待合室で張り込んだり、二十四時間タクシーをチャーターしたりしながら日野をマークして離れようとしない。迂闊に柳沢の家を訪ねれば、翌日の朝刊の紙面を騒がせるだけだ。

　日野は仕事を終え、後は帰宅するだけなのだが、二階の医務室で用もないのに自分の椅子に座ったまま考え込んでいた。他の医師はすでに帰宅し、当直医はナースセンターで看護師たちと打ち合わせをしている。

「日野先生どげんしますか」

　背後から加藤の声がした。彼女は白衣から私服に着替えていた。独り言を聞かれた時から、彼女には心の内を読まれていた。

「柳沢裕子のところに行きたかとでしょう」

「ああ、そうたい」

「先生の車は目立つけん、私の車で行きましょう」

　加藤は軽乗用車を運転していた。一緒に乗れば報道陣が当然後を付いてくる。病院の背後には山を下るなだらかな小道があり、体力を回復し退院間際の患者が散歩道にしている。散歩道を下りきったところから五分ほど歩くと、病院の駐車場から下ってきた道と合流する。

「私は先生が着く頃を見計らって病院を出ます」

日野は白衣のまま裏口から病院を出た。誰にも気づかれなかった。照明などなく、山道は真冬の闇に覆われている。

枯れた雑草の中に身を潜めて加藤の軽自動車を待った。有明海から流れてくる風がいつもより冷たく感じられた。やがてヘッドライトを煌々と照らした車がゆっくりと近づいてきて、散歩道との交差点で止まった。窓が開き、加藤が周囲をうかがいながら言った。

「日野先生、いらっしゃるとですか」

雑草の中から立ち上がった。日野が乗ると同時に車は走り出した。柳沢の住所がすでにカーナビゲーションには入力されていた。病院からは二十分ほどの道程で、九時を少し回った頃にアパートに着いた。木造モルタルアパートの一階に柳沢は住んでいた。

車を止め、二人は柳沢裕子と記された郵便受けの名前を確認してからドアを叩いた。

「こんばんは。聖徳会病院の加藤ですが……」

ドアはすぐに開いた。それもそのはずだ。ドアを開けたところが上がり框で、その先に炬燵があり、壁に寄りかかりながら柳沢はテレビを見ていた。少し手を伸ばせばドアノブに届く。

奥の方にベッドが見えた。布団の上にはセーターやジーンズが山のように重なっていた。カーペットが敷かれているが、その上にも洗ったものなのか、あるいはこれから洗う洗濯物なのか、赤や黒の下着までが散乱していた。

壁には釘が打ち付けられ、そこにはビニールの袋に包まれたクリーニングしたばかりの派手なワンピースが五、六着掛かっていた。四十代半ばの女性が着るような色でもなく、柳沢は水商売の世界にいるのだろう。

「日野先生もご一緒ですか。こげん狭かところですが上がってください」柳沢は炬燵から立とうともしないで言った。

加藤は散乱している柳沢の靴やブーツ、サンダルを端によけてから上がり、それに日野が続いた。二人も炬燵に足を入れた。炬燵が置かれた部屋はダイニングキッチンで、入って直ぐ左横がキッチンシンクになっているが、流し台には汚れた皿や茶碗が積み重なっている。炬燵の上に置かれたテーブルにも飲みかけの缶ビールや食べ残したカップラーメンがいくつもあった。

「柳沢さんが最近病院に来られないものだから、日野先生が心配して様子を診にきてくれたんですよ」

加藤が訪問の目的を説明した。

「今は慈愛会病院で診てもろうとる。心配はなか」

「それなら診察の方は慈愛会病院の先生がもう来んでもよかというまで診てもらうように。それとこの薬はいつ頃から飲んどるのかね」

カップラーメンの横に袋から飛び出した錠剤が二種類あった。

「ちょっと見せてもらうよ」

日野は二種類の薬を確認した。躁うつ病の治療に用いられるリーマスとデパケンだった。

「いつからこの薬を?」

「かれこれ二年に」

慈愛会病院には精神科はない。柳沢はどこか他の病院で精神科の治療を受けているのだろう。

「処方箋を出してもらう時は、精神科の先生に腎臓を摘出していることを言わにゃいかんぞ」

リーマスは腎臓に負担をかける薬だ。

柳沢は泣きながら、「兄を救って」と訴えてきた。おそらく躁状態の時に診察を受けにきたのだろう。

「わしはあんたが大平剛の妹だと信じて疑いもしなかった。新聞で叩かれているようにもっと慎重にすべきだったと反省しとる。もし差し支えなけりゃどげんしてあんなウソばついたつね教えてもらえんだろうか」

「四年前までやっとったスナックで、ようけ金ばつこうてくれて、あの人が惚れたって言うから付き合うたこともあるとよ」

柳沢には悪びれる様子はまったくなかった。大平と柳沢は男女の間柄だったようだ。加藤は怒ることも忘れて呆れ返っている。

「店の経営はうまくいかんし、精神的にもおかしくなるし、何もかもがいやになってしもうて……。こげな話ば恵子によくしておったとよ」

「岡崎恵子さんとは古くからの知り合いなんね？」加藤が割って入った。

「私の店で働いていたホステスたい。まさか恵子と大平ができておったとは思いもよらんかった」

「腎臓提供の話は誰がもちかけたつね」日野が聞いた。

「恵子たい。よか話があるていうて……。大平が腎臓の大病ばして、腎臓ば提供してくれたら金ばよけいくれるというもんで、ついその話に乗ってしもうたったい」

柳沢は経済的に追い詰められていたのと、躁うつ病で正常な判断が下せなかったのだろう。そこに付け込まれたようだ。

日野はそれだけ聞けばもう十分だと思った。炬燵から出ようとすると、加藤が睨みつけてきた。

「大平からの金の支払いはどぎゃんしたと」

「それがコロッと騙されてしもうて。車と謝礼金の一部はすぐにくれたが、残りを大平はなかなか払おうとせんのよ。それで私が日野先生に相談してみると恵子に言うたら、そげんこつされたら大平が困るけん、もう少し待ってやってくれと言って、それで無理矢理慈愛会の方に連れて行かれた。恵子がいなくなった隙に、金が払われてこんて慈愛会の先生に話を聞いてもらった」

臓器売買が発覚した経緯はわかった。おそらく慈愛会の医師が警察に通報したことで、A警察署が捜査に動き出したに違いない。

加藤が帰り支度を始めると、日野はすぐに自分の靴を履いた。自分がいかに迂闊で愚かだったかを思い知らされ、一分一秒でも早く柳沢のアパートから逃げ出したい心境だった。それが顔に出ているのか、加藤は車に戻ると言った。

「先生は人が良すぎるけんこげん事件に巻き込まれるとですよ」

返す言葉がなかった。病院には戻らず、日野は自宅まで乗せていってもらった。

翌朝、タクシーで聖徳会病院に向かった。駐車場で待機しているタクシーの中から一斉に記者が飛び出してくる。A市は温暖な気候とはいえ真冬の海から流れてくる風はさすがに冷たく感じられる。

「日野先生、昨晩は病院にお泊まりになったんじゃないんですか」

白い息を吐きながら記者が聞いた。無精ひげが伸び放題で、脂ぎった顔をしている。一夜をタクシーの中で過ごしたのは明らかだ。

「夕べは疲れていたもんで、同僚に家まで送ってもらった。それよりあんたたちもゆっくり休まんと健康に悪かぞ」

「私たちも厚労省の調査がはっきりするまでは、ここに残らなければならないんですよ」

苦笑しながら記者が答えた。

奥村たちの調査は最新の移植ケースからレストア・キッドニ移植に集中していった。日野が行ったレストア・キッドニ移植は四十二件で、内訳は腎臓細胞がん八件、尿管がん八件、血管筋脂肪腫二件、海綿状血管腫一件、腎動脈瘤六件、骨盤腎一件、骨盤後腹膜慢性炎症一件、腎膿瘍一件、石灰化嚢胞一件、尿管狭窄五件、ネフローゼ症候群八件だった。

奥村はそれらのカルテの詳細な検討とドナーに対してどのようにインフォームドコンセントを行ったかを日野医師だけではなく、看護師らに聞き取りをしていた。本来なら調査が終了するまでは発表が控えられるべきだが、調査に加わった一部スタッフから記者にレストア・キッドニ移植の情報が次々にリークされた。

臓器売買事件が発覚した直後の奥村のリークとは比較にならないほど様々な情報が流れた。調査が進むにつれて日野医師の杜撰さを強調する記事ばかりがより具体的に報道されるようになった。

「梅毒やB型肝炎などの感染者の腎臓を移植に使用した」

「病理検査がまったくなされないままレストア・キッドニが移植された」

聖徳会病院側はもちろん事実無根と反論した。

何を根拠にしてそんな情報を記者に提供しているのかまったく不明だった。事実確認をしないままにそれを平然と書いてしまう記者の感覚も理解できなかった。聖徳会病院を取り囲んだすべての記者は悪意に満ちているように、日野には感じられた。

日野が行った四十二例中、がんで死亡した患者が一人だけいた、と奥村が情報を流した。死亡の事実が伝えられると、「レストア・キッドニ使用、移植後がんで死亡」「がん再発転移で死亡」と新聞は派手に書きたてた。

「これは治療という名の下に行われた人体実験以外の何ものでもない」

上原宗助衆議院議員がレストア・キッドニ移植について見解を発表した。上原議員は熊本県選出の議員で、A市やY市に有力な選挙基盤を持っている。日野は政治にほど関心はなく、選挙がある時に協力を依頼されるくらいで、親しくしているわけではない。何かの会合で何度か顔を合わせたことがある程度のつきあいだ。

それに上原には何かにつけてダーティーな噂が付きまとっていた。長い間、厚生族議員と呼ばれ、中央省庁再編で厚生労働省となっても依然省内に強い影響力を持つといわれていた。医薬品メーカー、医療機器メーカーから多額の政治献金をもらい、その関係が何度となく取り沙汰された。

「国民の健康と福祉を守ることが私のライフワーク、それが私の地元でこうした不祥事が起きている。看過することはできません」

上原の発言に日野は強い違和感を覚えた。事件に便乗した票集め、人気取りに思えた。何故なら上原の家族に慢性腎不全の患者がいて、その患者への臓器移植の相談を受けたことがあった。相談というより理不尽な依頼だった。

「日野先生を信頼しているからこそお願いしているのです」

上原が額を床につけるようにして懇願した。しかし、日野はその依頼を一蹴した。

「そげんこつはできん」

「これだけ頼んでも無理ですか」

「ああ、無理だ」

日野の対応に日なたにさらした揮発油に点火したような憤り方で、上原は尋常ではなかった。

「この人でなし」

日野をなじり帰っていった。

事件後の上原の発言は意趣返しにしか思えなかった。

奥村たちは調査を終えると東京に戻っていった。その二日後には調査結果がマスコミに発表された。

発表の様子を日野は自宅のテレビで見ていた。奥村は今回の調査は極めて限定的なものだとし、四十二例のレストア・キッドニ移植についてのみ発表した。

報告書によれば、最初に行われたのは十六年前で、問題点として六点挙げられていた。

第一の問題点は、聖徳会日野病院に移植に関する倫理委員会さえ設置されていないことだった。移植が適正かどうか、すべてが日野誠一郎医師一人の判断に委ねられている事実が指摘された。

第二は、ドナーからの腎臓摘出が果たして医学的に妥当なものであるか、いっさい検討が加えられていない。奥村はこの点について、移植学会の井上輝雄理事長のコメントをわざわざ付記した。

「他人に移植するなら、そもそも摘出しなければならない病的な腎臓だったのか、という疑問が残る」

第三にドナーに対して、書面でのインフォームドコンセントを取っていなかった点だ。

第四の問題点。日本臓器移植ネットワークを通すことによって移植の平等性は保たれている。日野医師はこのシステムをまったく無視している。

第五の問題点は、こうした問題点を抱える聖徳会日野病院へ病腎を提供し、日野医師に協力している病院の存在だった。マスコミによって名づけられた「有明海グループ」のことだ。

第六はレストア・キッドニの移植、とりわけがんに侵された腎臓を移植して再発、転移する可能性はないのか。その点について日野医師は明確な医学的な根拠がないままに手術を行ってきた。医学的根拠を欠き、妥当性はないと現段階では判断せざるを得ない。

奥村は調査結果の最後をこう結んでいた。

「聖徳会日野病院に対する今回の異例な調査は、限定的なものであり、全体像の把握には遠く及ばないものです。臓器売買だけではなくこうした一部病院の暴走を食い止めるためにも、これは専門家でチームを作り、徹底的な調査が必要だと判断するに至りました。早急に調査委員会を組織したいと思います」

ニュース報道が終わり、番組は天気予報に変わった。日野は風呂に入ろうと浴室に向かった。ズボンのポケットに放り込んであった携帯電話が鳴った。見覚えのある番号だが、誰だかわからない。こんな時間にかかってくるのは患者以外に考えられない。

日野はすぐに出た。

相手は自分の名前を名乗った。二年前にドナーとなり、腎臓を摘出した男だった。

「どこか調子でも悪くなったとか」

相手はその質問には答えなかった。日野と同じテレビニュースを見ていたようだ。一方的に話を始めた。日野は時折「うん」と頷くだけで、言葉は挟まなかった。不安を煽られ、男は罠に掛かった獣のように取り乱している。怒鳴り声で、人にモノを頼む口調ではない。しかし、男はそうした頼み方しか知らないのだろう。相手が必死なのは日野にも伝わってきた。

「それでわしにどげんせいと言うとか」

日野は努めて冷静に振る舞った。

相手は勝手な頼みだと言いながら自分の希望を日野に伝えてきた。

「わかった。できる限りのことはする。安心してよか」

こう言って日野は電話を切った。

日付が変わろうとしていた。日野は再び白衣を着て玄関を出た。病院で張り込んでいた記者は奥村たちと一緒に東京へ引き揚げていった。普段でも午前一時、二時までくらいは病院に残ることもある。記者が残っていたとしても入院患者が気になるから様子を診にきたとでも言えばすむ。

　日野はシビックを運転して病院へ戻った。駐車場にタクシーは一台もなかった。夜間通用口から入ると、ガードマンが「日野先生、どうかなさったとですか」と声をかけてきた。

「気になる患者がおって、それで少し様子ば見にきた」

「それはご苦労様です」

　エレベーターで三階に上がった。当直医の直井医師と看護師がナースセンターにいた。直井が日野のところに駆け寄ってきた。

「ニュースを見ましたか」

「ああ、見たよ」

「先生はどう受け止められたか知りませんが、私は地方の病院を馬鹿にしているような印象を受けました。田舎の病院が移植手術を中央の病院を差し置いてやっている。お前らなんか出る幕じゃないぞというエリート意識みたいなものを奥村報告から感じましたよ」

　若い直井医師の言っていることもあながち的外れではないと日野自身も思った。調査に当たった奥村は、臓器移植という先端医療は、設備の整った国立病院や大学病院の仕事で、地方の小規模な病院が手がける仕事ではないといわんばかりの態度だった。

「それにレストア・キッドニの移植を頭ごなしに否定しているけれど、厚労省の官僚はドミノ肝移植については何も言いませんよね。矛盾していることに気づかないのでしょうか」

　がん部分を切除したレストア・キッドニの移植が医学的妥当性に欠くのであれば、では何故、ドミノ肝臓移植は許されるのか。これこそ病気臓器移植以外の何ものでもない。ドミノ肝臓移植は病的状態そのものが軽減、排除されることなく移植されるもので、さらにその疾患の有効な治療法もない。

　アミロイドポリニューロパシー（ＦＡＰ）は、患者の肝臓が作り出す異常たんぱくが神経などの組織に沈着して起きる病気で、発症まで二十年から三十年かかるとされ、命の危険もある。しかし肝臓本来の機能は正常のため、摘出された肝臓を他の重い肝臓病の患者へ移植することが可能だ。

　こうしたことからドミノ肝移植については、移植から長期間を経て、ＦＡＰが発症したとしても、その間に再び移植のチャンスの可能性もあり、生命の危機にさらされた患者にとって有効な治療法と考えられている。

「ドミノ肝移植が認められて、レストア・キッドニだけが認められないというのも妙な話ですよ……。大切なのは患者に対して医療がどう貢献していくかということではないんですか」

　直井の言う通りだと思うが、その議論に付き合っている余裕は日野にはなかった。

「今後、まだ一波乱も二波乱もありそうだが、我々は気ば引き締めて患者本位の医療を目指すしかなか」

　こう言って、日野はカルテが詰まっている書架に行った。壁際に五十音順に並べられている。

「気になる患者がおって、明日病院に来るので先に血液、尿検査の検査結果だけでも見ておこうと思ってきたんだ」

「名前をおっしゃってくれれば私が探します」若い看護師が言った。

「よかよか、自分で見つけるから」

　日野はカルテを五通ほど引き抜いて、二階の医務室へ降りた。自分の机に戻り、周囲に誰もいないことを確認すると一通のカルテと病院の名前が印刷された大きな封筒を折り曲げて、ズボンの後ろポケットにねじり入れた。再び三階に上がり、ナースセンターに戻り、看護師に四通のカルテを元に戻しておくように頼んで一階に降りた。

　ガードマンの「お疲れ様でした」という声を背中で聞きながらシビックに乗った。

　日野は車を自宅ではなくA市の郵便局本局に走らせた。本局は二十四時間郵便物を受け付けている。

封筒には東京で暮らす一人娘の由香里の住所を書いた。郵便局の筆記台に備え置かれていたメモ用紙に用件を記した。

「このカルテは何があっても公開しないこと。お前のところで厳重に保管しておいてくれ」

このメモと一通のカルテを封筒にしまい、日野は書留で送付した。


沼崎は閑職に追いやられた気分だった。新宿歌舞伎町で飲む回数が増えた。区役所通りに面した飲食店だけが入っているビルに「グラス」がある。凛子と明菜の二人が経営する店で、二人の他にはホステスはいない。カウンターとボックス席が三つほどの小さな店だが、週刊ダイジェスト時代から入稿をすませた後、週に一度は「グラス」で飲んでいた。

給料は文化メディア社の半分近くになっていた。それでも採用してくれた野呂には感謝しているが、自分が提出した企画にもかかわらず、取材スタッフから外されたのはショックだった。

凛子も明菜も沼崎が追われるようにして、文化メディア社を退社している事実は知っていた。今も週刊ダイジェストの編集部員やフリーの記者が時々飲みにきているらしい。沼崎はカウンター席に座った。

「テレビの世界で活躍しているって聞いたけど、調子はどうなの？」

凜子が聞いた。

沼崎は何も答えずに明菜が作ってくれたバーボンのロックを口に運んだ。

開店早々に店に入ったせいか、客は沼崎一人だけだった。二人とも気を遣って週刊ダイジェストに触れる話は避けていた。そろそろ切り上げようとした頃だった。ドアが開き、見なれた顔の客が三人入ってきた。編集部のかつての同僚とカメラマンの高山だった。三人はすでに飲んでいるようで、田所編集長の茶坊主と裏で嘲笑されている一年後輩の児島は足がふらつき、部下の編集部員と高山から両脇を支えられていた。

沼崎と児島の視線が絡み合った。すでに児島は呂律が回らなくなっていた。

「これは沼崎さんじゃないですか。テレビでご活躍の様子、ご同慶の至りです」

ボックス席に座らせようとする部下の手を振り払い、沼崎の隣の席に座った。

「計算してくれるかな。そろそろ帰るよ」

沼崎は児島を無視して、早く会計を済ませようとした。明菜も心得たもので、すぐに対応してくれた。凜子がボックス席に移動するように児島に勧めた。

「沼崎さん、在籍中にはいろいろ高邁なことを言ってくれたよな。ジャーナリズムを目指そうって。それがなんだよ、問題を後輩に押し付けた上にしこたま金もらって退職かよ」

沼崎は児島を殴り倒してやりたい衝動にかられた。凛子が相手にするなと目で合図を送ってよこしたが、その夜はムシの居所が悪かった。

「退職金などもらっていない。総務に聞いて見ろ、この茶坊主が」

児島は一六〇センチ程度の身長しかないが人並み以上の体重はあった。「茶坊主」と呼ばれているのは本人も自覚しているらしく、酔った赤い顔をさらに紅潮させて言い返してきた。

「失礼なヤツだな」

「どっちが失礼かよく考えろ。人並み以上の体重と人並みに近い身長と頭があるんだから」

沼崎はいつになく強い口調で言い返した。明菜がカウンターから出て来て、沼崎の袖を引っぱった。

「児島さんはいつもあんな調子なの。気にしないで、また来て」

沼崎は店を出ようとした。背中から児島の罵声が飛んできた。

「田所編集長に感謝しろよ。在籍わずか五年なのに五百万円の裏金をもらったんだろう。みんな知っているぜ。何がジャーナリズムだ、さんざきれいごとを言いやがって」

児島の顔に唾を吐いてやりたいくらいだった。

自宅に戻ってからも怒りは静まりそうになかった。自宅で酒を飲むことなどめったにないが、ウィスキーをロックであおった。

シャワーも浴びずに、そのままベッドに潜り込んだ。


週刊ダイジェスト編集部内でも、経緯を知っている部員からは田所が責任を取って辞めるべきだという声が囁かれていた。

「沼崎さんが辞めるべき話ではないし、上司の指示で入稿した原稿で社会的に問題になっているのだから、田所編集長が退社すればいい」

それを口に出して言うものは一人としていなかった。編集長の座を早く譲れと急きたてられてきた横平は局長の座についた。文化メディア社が発行している男性誌を統括する立場だが、田所には面と向かって文句は言えなかった。長引く出版不況の中でも週刊誌の売り上げを着実に伸ばし、文化メディア社の屋台骨を支えていたのは田所だった。

しかし、新聞やテレビで被害者の自殺は大々的に報道され、週刊ダイジェストへの風当たりは強かった。会社としても放置するわけにはいかなかったのだろう。緊急の役員会議が開かれて、対応策が協議された。その席上に横平局長や田所編集長も呼ばれた。

どんな話し合いが行われたのかはわからない。しかし、手記を担当した沼崎に退職勧告が出された。

その日、机の中の私物を宅急便で自宅に送った。黙々と作業する沼崎に話しかけてきたのは、文芸部の由香里だけだった。

「再就職先、あてがあるのか」

男のような口調で由香里が聞いてきた。

「これからだ」

それが由香里と交わした最後の会話だった。

由香里とは同じ大学で学んだ仲だった。由香里も出版社で働くことを望んでいて、ジャーナリズム研究会も一緒だった。沼崎が大学を卒業する頃は就職氷河期といわれた。特に出版関係は斜陽産業とまで囁かれていた。しかし、沼崎も由香里も出版界に夢を描いていた。

「このままでは日本のジャーナリズムは死んでしまう」

サークルで熱い議論を交わしていた。

沼崎は何社受けても内定は取れずに、ようやく就職できたのが文化メディア社だった。由香里は新聞社の就職内定も取り付けていたが、単行本の編集に関わる仕事をしたいと文化メディア社に就職した。

田所はライターの星影が取ってきた手記の単行本化を、ノンフィクション書籍担当の部長に話し企画を通していた。その単行本化の担当を任されたのが由香里だった。田所は手記掲載から一ヶ月後には緊急出版したいと、週刊ダイジェストの手記のゲラ刷りを由香里に回していた。

「あなたたち、こんな記事を作って恥ずかしくないの」こう言って、ダイジェスト編集部に怒鳴り込んできた。「この女性の受けた心の傷とか、将来について思いやることできないの」

「これは俺の雑誌だから、編集方針についてお前さんの指図は受けけんよ」

「では単行本化については、私は拒否します」

「由香里はいつも人権だヘチマだと言っているけど、そんな杓子定規な考えで記事を作っても読者は付いてきてくれないぜ」

監禁された女性の手記をめぐって由香里は田所と激しく言い争っていた。二人のやりとりに沼崎は自分が担当する女性の手記でもめていることがわかり、席を立ち、編集長のデスクに行った。

由香里はゲラ刷りをその場で破り捨て、鼻の穴を穿っている田所に投げつけた。由香里にかかると、編集長もデスクも形無しだった。

「由香里は学生時代と変わらないな」と呟くと、

「恭太、お前が変わり過ぎたんだ」と捨てゼリフを吐き、「勝手にしろ、お前ら」由香里は投げつけるような口調で言い放って、編集部から出て行ってしまった。「お前ら」と由香里が口にしたのは、沼崎に対する非難でもあった。

　掲載された翌日、由香里から電話が入った。

「あんな記事まで掲載して、恭太は出世したいの。見損なったよ」

　被害者女性が自殺したのは、その三日後だった。学生時代には嫌悪していたセンセーショナルなジャーナリズムにいつしか自分も染まっていた。

　大学に入った頃から由香里とは恋人同士としてつきあってきたが、この一件で結局別れてしまった。

　沼崎は異論を唱えることもなく会社の処分を甘受した。屈辱以外何ものでもなかったが、手記を書いた被害者が自殺している事実だけで退社理由は十分だった。

　自殺した女性の報道が沈静化しても、沼崎恭太の名前はしばらくマスコミ関係者の間で囁かれ続けた。

　退職してから一ヶ月後、田所から電話が入った。

「会社としてもああいう形で身を引いてもらった元社員に大っぴらに退職金というわけにもいかねえからよ。それで領収書のいらない金二百万円を君の口座に振り込んでおいた。これで貸し借りなしってことでいいな」

田所は一方的に話すと電話を切った。口座を確認すると、田所の名前で二百万円が入金されていた。

それからしばらくすると、沼崎の耳に噂が聞こえてきた。

「引責退社はしたが会社から異例の退職金をもらった」

発信源はわかっている。

同時にもう一つの噂も流布されていた。

「最後の土壇場で田所は掲載しないと決断したが、それを無視して沼崎が勝手に掲載に踏み切った。それが真相だ」

責任を回避した田所が、社内にくすぶる批判、非難をかわすために流しているのだ。

第四章　人体実験

「こんな手術、誰がしとっとか」日野は新聞を机に放り出した。

マスコミ報道の中には、移植できるくらいの腎臓なら元の患者に戻して使うべきだという井上理事長の主張をそのまま書いた新聞もあった。国内でそうした手術が皆無とは言わないが、極めて稀なケースでしかない。

片方の腎臓が正常に機能していれば、病変の見られる腎臓を全摘しても不都合は事実上ない。四センチ未満のがんであれば、部分切除して腎臓はそのまま残してもかまわないという論文が発表され、それが世界のスタンダードになっている。四センチ未満であれば、がんの再発、転移する可能性は五パーセント程度だろうといわれ、全摘せずに部分切除で腎臓を残した方がいいとされる根拠だ。日野も当然、そうしたケースは部分切除を患者に勧める。

しかし、部分切除は高度の技術を要求される上、出血のコントロールも難しい手術だ。手術時間も長くなる。部分切除のリスクは全摘出手術よりはるかに高く、患者にかかる肉体的負担も大きい。まして一度摘出した腎臓を再び移植するとなれば、さらに患者のリスクは増える。

実際には四センチ未満の小さながんでも再発、転移を恐れて全摘を望む患者は多い。日野は摘出される腎臓を、透析患者の移植用腎臓として使わせてもらえないかと頼み込んだのだ。誰一人として断った患者はいない。

「役に立つなら使ってください」

こんな返事が戻ってきた。

本来なら遺棄されていたものを、レストア・キッドニとしてよみがえらせ、患者に移植し、命を救える。確かに生体臓器移植で、ドナーは六親等内の血縁でもなければ、三親等内の姻戚でもない。移植学会の倫理指針に反しているのは理解できるが、患者の生命、あるいはＱＯＬ（人生の質）にどう貢献するのか、それこそが医の倫理ではないのか。移植学会の倫理指針を金科玉条のごとく守っていては患者を救えない。

「レストア・キッドニの生着率は低く、レシピエントの生存率も悪い。がん患者からの腎移植は特にそれが顕著だ。医療と呼ぶには値しない行為で、治療に名を借りた実験としか思えない」

頑強に主張する日本移植学会の井上理事長のコメントは、砂漠に降った雨のようにマスコミに浸透し、それが世論として形成されてしまった。

しかし、その根拠はどこにあるのか。おそらく奥村あたりからリークされた情報でコメントしているのだろうが、恣意的なものを感じる。あるいは欧米の独自のデータを収集しているのだろうか。

移植学会だけではなくレストア・キッドニ移植に疑問を提示する医師ももちろんいた。

「がん細胞が取りきれていなかったらどうなるのか」

「移植する臓器に発がん誘発因子が付着していた場合どうなるのか」

日野も再発、転移の可能性があるとレシピエントに伝えている。インフォームドコンセントの核心部分はそこにあると思う。その同意を書類に残していないだけのことだ。

ある医師はこんなたとえ話でレストア・キッドニ移植について説明をしていた。白米をよそった茶碗にハエが入っていた。その部分を取り除いて食べられる人もいれば、すべてを捨ててしまう人もいる。

立場が変わり、ハエが入っていたことを知った上で、捨てるご飯なら分けてほしいという人がいたと仮定しよう。その人は「お腹をこわすかもしれない」と言われても、それを食べなければ死んでしまうほど空腹なのだ。

「食べる、食べない、その選択は患者がすべきではないのか」

移植してまで生きたいと考えない患者もいる。それはそれでいい。しかし、透析から解放されて二、三年でも長く生きて、やり残していることを果たしてから死にたいと考える患者に、合意の上でレストア・キッドニを移植することが医師の倫理に反するとは、日野にはどうしても思えなかった。

――「生きたい」と願う患者の期待に応えるのが医師の使命。

この考えに揺るぎはない。

しかし、レストア・キッドニの移植患者の中にがんで死亡した患者がいたと報じられた。初めてレストア・キッドニ移植を行ったのは一九九一年頃だった。おそらく初期の患者だと思う。

日野は次の日曜日を利用して遺族を訪ねてみた。マスコミ報道をそのまま信じる気持ちにはなれなかったが、やはりがんの再発、転移であれば、移植は控えなければならないのかもしれない。

日野のシビックにはカーナビゲーションは付いていない。亡くなった患者の木下は熊本県の郡部に住んでいた。車の運転など自宅と病院の往復以外にした経験がない。危なっかしい運転でどうにか日野は患者の家に着いた。

周囲にはビニールハウスが広がり、日本でも有数のスイカの産地として知られている。患者も以前はスイカを生産していた。車を止め、門柱に付いている呼び鈴を押した。すぐに玄関の戸が開いた。

「どちら様ですか……」と言いかけて五十代の女性がサンダルをひっかけて外に出て

きた。「先生、お久しぶりです。その節は大変お世話になりました」

深々と頭を下げた。木下の妻で、ふくよかな顔立ちに見覚えがあった。

「どうぞ上がってください」

日野は勧められるままに応接間に上がった。

「聖徳会の日野先生がおいでになったよ」木下の妻は二階に通じる階段に向かって大きな声で言った。

階段から五、六歳くらいの男の子の手を引いて、若い男性が降りてきた。

「長男が畑を継いでくれたとですよ。その子は孫です」

木下の長男は一年中畑で働いているのか、日に焼けて浅黒い顔をしていた。

「その節は父が大変お世話になりました」

一階の居間には大きな座卓があり、木下の妻と長男が日野の真向かいに座った。

「先生にはご迷惑をかけていると思います」長男が座卓に額が付くくらいに頭を下げた。

「そげんこつせんでくれんか」

日野は長男の態度に戸惑いを覚えた。

「私たちは日野先生の手術に心から感謝しとります」妻が言った。

「父は確かにレストア・キッドニ移植から六年後に肺がんで亡くなりました。だからと言って日野先生を恨んでもいないし、それはオヤジも同じことで、家族はみんな先生に感謝しとります」

　木下の妻も長男も、日野が抗議にきたと勘違いしているようだ。新聞や週刊誌報道の中には、がんで亡くなったことに家族が激怒しているような論調で書かれたものもあった。

「ご主人はがんで亡くなったようだけど、本当に転移なのかそれを聞きたくてやってきたんだが……」

「それがですね」長男が申し訳ないといった口調で説明を始めた。

日野は尿管がんの腎臓を木下に移植した。その時も確立は低いが再発、転移の可能性はあると患者とその家族には伝えた。木下は妻からの腎臓を移植し、七年間は透析をせずに暮らすことができた。その後再び透析に戻ったが一家の大黒柱として働かなければならない現実があったし、畑に出たいと強く訴えていた。

「たとえ寿命を縮めても、畑で死ねるなら本望たい」

　木下はそう語り、レストア・キッドニの移植を受けた。術後は良好で畑に出てスイカ栽培に情熱を傾けた。ところが咳き込むことが多くなり、近くの病院で診察を受けたら熊本医大を紹介され、そこで肺がんの末期と診断されたようだ。

「私らはがんが再発、転移したらそれはもう仕方のないことだとずっと思っていました。移植してもろうた腎臓から転移したとばかり思うてしもうたとです」妻が言った。

家族は転移がんだと信じ込んでいた。それが転移がんとして報道された。それから数日後に熊本医大の執刀医から電話があったそうだ。

〈もう古い記録なのでカルテは残っていませんが、私の記憶では転移がんではなくて原発性がんだと記憶しています。木下さんは聖徳会病院で腎臓の移植を受けたと聞いていたので、当時腎臓のデータも取りましたが、移植された腎臓にがんの所見はまったくなかったことを、お役に立つかどうかわかりませんが、お知らせしておきます〉

「私らは転移だの、原発性がんといわれても、がんというのは恐ろしい病気としかわからんもんで……」

「そうだったたつか。熊本医大の先生に感謝せにゃならんばい。転移がんではなかったつね。よかった。来たかいがあった」

日野が今度は頭を下げた。

「熊本医大の先生は当時の記憶から死亡診断書は書けんとおっしゃるもんで、それでオヤジの遺品を片っ端から調べました」

妻が席を立ち、奥の部屋から茶色に変色した書類を持ってきた。

「残っていたとです」長男がそれを日野に差し出した。死亡診断書だった。

「原発性肺がんに続発した肝転移による死亡」と記されていた。

「これが出てきたもんで、取材を受けた記者全員に事情を説明したとですが、どこも訂正記事を出してくれんとですよ」長男は申し訳なさそうに言った。

日野は死亡診断書を預からせてもらい、A市に戻った。

結局、四十二例中、がんの再発、転移で亡くなったレシピエントは誰一人としていないことが判明した。日野にはそれで十分だった。

高倉治子の両腕にはまるで火傷を負ったようなケロイドがいくつも残っている。透析の時、腕に刺す針はボールペンの芯ほどの太さがある。何度も刺すうちにケロイドとなり、血管は腫れ上がり、腕にテニスの軟式ボールが入っているような状態になる。左右の腕にシャントが作れなくなれば、次は足に設けるしかない。

そんな高倉治子を前にして、移植学会の倫理指針がいったい何の意味を持つというのだろうか。

手足でも四、五時間も同じ姿勢を保つのは苦痛だ。また透析中は血圧が上下するので、肉体的にも負担がかかる。透析を行った日は倦怠感、疲労感でほとんどの患者が身を横たえて過ごす。

しかも人工透析では十分に老廃物を除去できない。そのために頭痛、高血圧、嘔吐感、動脈硬化、血管痛、体力低下、骨粗鬆症、大腿骨頭壊死などの症状に苦しめられる。精神的な負担は患者にしかわからないだろう。移植に恵まれなかったら、死ぬまで透析は続けなければならない。「いつ死ぬか分からない」という恐怖感を常に背負って生きなければならない。自殺に追い込まれる患者さえいる。

だからと言って大手を振ってレストア・キッドニの移植をしているわけでは決してない。患者を救う方法はこれしかないと追い詰められた現実の中で、患者と話し合って決めてきたことなのだ。

高倉治子にその説明をしなければならない時が来ていた。透析を受けに来た日、終わったら会議室に呼ぶように加藤に頼んだ。小舟に揺られ一晩中船酔いに苦しんだような顔で治子は会議室にやってきた。付き添いの裕美が肩を貸しながら、椅子に座らせた。

「二人でよく相談しておいてほしかこつがあっと」日野が切り出した。

治子は重い鉛をぶら下げているかのようにゆっくりと首を上げて、日野を見た。裕美も不安と期待が入り混じった視線を日野に向けてきた。

「わかっていると思うけど、厚労省からもレストア・キッドニ移植は実験的な医療と言われているし、人体実験とも言われとる。しかし、わしはそうは思うとらんが、批判は強くなる一方だけんね。これから先どげんこつになるか、わしにもわからんが、もし提供される腎臓があったら移植を受けるかどうか考えておいてほしか」

治子は身を乗り出して言った。「お願いします」

日野はレストア・キッドニ移植について、改めて詳しく説明した。四方を闇に囲まれた二人には、どんなに不確かな移植の話であっても、溶接の火花のように輝いて見えるのだろう。

「ママに移植できるようにしてやってください。私、必ず恩返しします」

裕美は成人式を迎えたばかりだが、二十歳の女性の言葉には思えなかった。

「同意書を作らせて、それを見ながらもう一度説明ばする。それで納得したら印鑑ば押してくれ。協力してくれる病院に摘出される腎臓があれば教えてくれと頼んでみるが、今はあまりにも状況が悪か。できる限りのことはしてみるつもりばい。厚労省の動きもあるし、はっきりせんこともたくさんあるが、いつでも移植ができるごつ準備だけはしておきたか」

「わかりました」と治子が答えた。

しかし、裕美はすがるように訴えてきた。

「厚労省がどんなに言おうが、ママも私も先生を信頼しているし、書類にも同意します。だからなんとかしてママに移植してやってほしいんです」

最後は泣き声で言葉にならなかった。

母親に付き添い何年も透析患者の様子を見ていれば、裕美にも母親の死期が迫っていることくらいはわかってしまう。

「ダルマさんが転んだ」という子供の遊びがある。健康な時、鬼ははるか遠くにいて、その表情をうかがい知ることはできない。しかし、鬼は足音も立てず、静かに、暗闇の中を一歩ずつ治子に近づいている。

治子が後ろを振り返れば、鬼はもう手の届くところまで突き進んできている。

しかし、それでも適合する腎臓が出てくるのをひたすら待つしかないのだ。治子もそして移植を待つすべての患者がクモの糸のような希望にすがるしか術はない。それが現実だ。

日野は東京のＪ大学医学部を卒業し、地元に戻った。内科、外科の医師はスタッフが揃っていたが、泌尿器科の病院は地元にもなく、父親の一義からは泌尿器科を専攻するように言われていた。

日野本人も医師になることも病院を継ぐことも当然だと思って育ってきた。

父親は深夜、玄関のドアを叩く音で起こされ、眠そうな顔をして患者の家に往診にでかけた。荷台に医療器具が入った分厚い革の鞄をしばりつけ、父親は自転車に乗りフラフラしながら患者の家に向かった。

日野が起きる頃、疲れきった顔で帰宅した。一緒に食事をしながら、「どげんして夜中にでかけると」と聞いたことがあった。父親は箸を置き答えた。

「お前のじいちゃんもそうしていた」

日野自身、そうした祖父、父親と同じ生き方をしているとしか思っていなかった。跡を継ぐということはそういうことなのだ。

故郷に戻ってから「若先生」と呼ばれ、泌尿器科の一医師として患者の治療にあってきた。一九七〇年代に入ると、アメリカから腎臓移植のニュースがもたらされるようになった。

J大学医学部の恩師に頼み込んで、移植を手がけているアメリカのW大学医学部に留学できるように手はずを整えてもらった。移植手術を学んで帰国すると、日野は専門スタッフを集め、移植の準備を始めた。日本でも腎臓移植はまだ稀有だった。

聖徳会が初めて腎臓の移植手術を行ったのは、留学から戻った三年後だった。それから四、五年の間、移植はほとんどが生体移植で、しかも年間に五、六例だけで、死体腎の提供に至っては一年に一回あればいい方であった。

移植は熊本県の地方病院が行える手術だとは、誰も思っていなかった。大学付属の病院かあるいは名だたる大病院のする手術で、地方のしかも無名の医師がする手術などではないという雰囲気が中央の医師会にはあった。

日野はその後、再びアメリカで移植を学ぶ機会を得る。移植の成否は移植後の免疫反応をいかに抑えるかにかかっていた。アメリカで新しい免疫抑制剤が開発され、その使用方法を修得するためだった。

その頃、日本国内の腎臓移植に異変が起きていた。

腎移植の成功率は心臓死より脳死、脳死よりも生体の腎の方が高いとされている。腎移植希望者は全患者の約五割、若い年齢層ほど強く移植手術を望み、二十代では約八割の患者が手術を望んでいるほどだ。

いくら待っても移植のチャンスは限りなくゼロに近い。しかし、アメリカから移植用の腎臓が送られてくるようになった。UCLAの臓器斡旋組織の責任者でもあった医師により、適合性に問題があり使用できない臓器が日本に送られてきたのである。一九八一年に二十六個、八二年六十五個、八三年五十七個と三年間で百四十八個の死体腎がアメリカから輸入された。しかし、とても患者の希望をかなえられるような数ではなかった。

これらの腎臓によって移植が行われたのは、仙台社会保険病院、東京女子医大、東京医科大学八王子医療センター、東京大学医科学研究所など十施設で、いずれも聖徳会日野病院とは比較しようもないほどの大病院だった。

アメリカから戻った翌年だった。W大学から日野のところに脳死の腎臓が二つあり、聖徳会病院に提供する用意があると伝えてきたのだ。日野は即答しなかった。というよりできなかったのだ。ＵＣＬＡから提供されている腎臓は、患者個人が摘出手術料、組織適合性検査、搬送料など百五十万円を負担しなければならなかった。

返事を躊躇っている日野に、Ｗ大学は無料と日野に告げた。それにはＷ大学のある思惑があった。大学の移植医療に携わるチームが、摘出された腎臓の細胞を傷めず七十二時間保存できる輸送装置を開発した。Ｗ大学から熊本県Ａ市の聖徳会日野病院まで五十時間はかかる。Ｗ大学はその精度を試したかったのだろう。

アメリカから輸送されてきた腎臓で二人の患者を透析から解放してやれる。熊本県の片田舎の病院でも腎臓移植は可能で、九州の腎臓移植の拠点として、貢献できる医療機関であると社会的に認知させてやるという気持ちがなかったと言えば、それはウソになる。

聖徳会日野病院には宝くじを引き当てるよりも確率的には困難な死体腎を五十人以上の患者が待っていた。三十代の女性と四十代の男性にその腎臓を移植することに決まった。

成田空港に着いた腎臓をそのまま羽田空港に車で輸送し、最終便で熊本に送られた。二つの腎臓は損傷もなく、移植に十分使えるものだった。日野はその時点で手術の成功を確信した。

最初に女性の手術を行い、次に男性の移植を行った。すべて順調で手術は成功だった。次の日の朝刊には地方紙だけではなく全国紙にも、聖徳会日野病院で行った移植手術が大々的に報道された。

しかし、午後になり男性の容態が急変し、心臓が突然停止、どんな処置を施しても再び動くことはなかった。油断をしていたわけではない。突然強い拒絶反応が出て、それをコントロールできなかった。女性のレシピエントは順調だったが、男性は帰らぬ人となってしまった。

深夜、女性患者の容態に問題ないことを確認してから、日野は男性の家を訪ねた。男性の妻と両親にわびなければと思った。

遺体は居間に敷かれた布団に寝かされ、枕元に線香が焚かれていた。日野は白衣のままだった。遺体に謝罪し、そして妻と両親に頭を下げた。

「全力で手術にあたったんですが、力及びませんでした」

両親は日野を射るような視線で睨みつけていたが、何も言わなかった。

妻は涙一つ見せずに気丈に振る舞っていた。

「日野先生、頭を上げてください。そげんこつされたら主人も悲しみます。この手術は主人も私も先生ば信じて進めたことです。主人はもしもんことがあっても日野先生を責めてはいかんぞ、と言って手術室に入ったんです。ですけん残念ですが、これは運命だったと……」

日野は妻を直視できなかった。

居間での会話が奥の部屋に届いたのか、幼稚園児と思われる女の子が目をこすりながら起きてきた。事態がのみ込めていないのだろう。父親の顔にかけられている白い布を無造作に捲った。

「お父さんはまだ起きんと」

母親の膝に腰掛けながら聞いた。それまでこらえていた妻の目から涙が堰を切ったように流れ出した。両手を力いっぱい握り締め、歯を食いしばり、声を押し殺して泣いていた。たまりかねて父親が言った。

「今晩はこれでお引き取りください」

深夜病院に戻ると、A警察署の刑事が待ち受けていた。

「殺人罪で告発しろという匿名電話があって……」刑事は言い訳めいた言葉を発した。

日野は事実関係だけを刑事に説明した。心配して病院に留まってくれていた父親の一義が言った。

「ここで歩みを止めるな。責任は俺が取る。だからお前は患者のことだけを考えろ。それが亡くなった患者への償いだし供養になる。いいな」

院長として、先を走る医師として、そして父親としての訓示だった。

臓器移植取材から外された沼崎に与えられた仕事は、新たな企画を考えることと青木ヶ原樹海で発見された遺体の続報を取材することだった。続報をニュース番組にでも流せれば、プロダクションの稼ぎにつながる。

「富士吉田署に行って、身元が割れたかどうか取材してきてよ。何かあの遺体を巡って新しい切り口があれば、それも局の方に提案するからさ」

野呂が言った。

富士吉田署を訪ねるのはもう何度目なのかわからないくらいだ。慣れたハンドルさばきで車を駐車場に止めた。富士の裾野の町だけあって、昼間でも凍てついた空気が漂っている。寒さから逃れるように富士吉田署に飛び込んだ。受付に行こうとすると遺体収容の時から顔見知りになった白井刑事が通りかかった。年齢的にも沼崎と近いことから親しくなっていた。

「少し時間をいただけますか」

白井を見つけるなり沼崎が言った。

「十分くらいなら」

白井は二階を指差した。階段を上がりきったところに衝立で仕切った休憩室があった。ベンチが向き合うように並び、真ん中に灰皿が置かれていた。白井はそこに脚を組んで座ると聞いた。

「何が聞きたいの。答えられることは答えるけど、無理だと思うことは広報を通して」

白井はいつも素っ気ない対応だが、沼崎には情報を提供してくれる。

「年末に取材した例の女性の遺体だけど、何か進展はありましたか」

「あのままだよ。何も進展なし」

樹海で勝手に死んだ女の身元の割り出しに、時間を割いていられるほど警察は暇ではないと言わんばかりだ。実際その通りなのだろう。平成十年から日本の自殺者は三万人を超えている。青木ヶ原樹海で収容される遺体も毎年七、八十人を数える。

「二、三人の捜査員で、遺体の割り出しなんかできるけ？」

白井は端から身元の割り出しを諦めている風だ。

「全国の都道府県に、遺体と同じくらいの年恰好の女性の捜索願いが出ているかどうか、それを照会するだけで手一杯さ」

結局、該当者なしで、そこから先はまったく進展していないようだ。

「お宅のテレビであれだけ騒いでもらって、視聴者の中からもしやという人間が一人も出てこないということは、俺たちがジタバタしたくらいではとてもじゃないが探しきらんよ」

「身につけていた衣服から何かわかったことはないんですか」

白井はタバコの煙を天井に向けて吐き出すと、首を横に振った。

「あの女性は腎臓を摘出していましたよね。大手術だと思うんですが、心当たりの病院はないのでしょうか」

「もちろんそれも聞いたよ。少なくとも山梨県には該当者はいないという結論は出ているよ」

「それ以外の県はどうなんですか」

「そりゃ静岡、長野県とか隣接するすべての県の病院に問い合わせをした方がいいのかもしれんが、捜査中の案件を山ほど抱えているのに、そこまで警察っていうのはしなければならないものなのかって、沼崎さんはそう思いますか」

逆に沼崎が聞かれてしまった。勝手に死んでおいて、遺体を家族に届ける仕事など警察の任務ではないというのが白井の本音なのだろう。苛立つようにタバコの火をねじり消した。

以前、重大な罪を犯した受刑者の取材で刑務所内に入った。刑務所職員がオフレコで語ってくれた一言が印象的だった。

「この刑務所に収容されているのは凶悪犯ばかりです。受刑者数をはるかに上回る数の人たちが受刑者によって殺されています。最高年齢は九十歳を超えた者が二人います」

その二人はもはや刑務所内で働くこともできない。二十四時間看護の医療体制の中で、二人はどちらが長生きするかを競っていた。

「それが人権という名の下に許されるところが刑務所です。それを保障しなければ私たちは人権派と呼ばれる弁護士や支援者によって訴えられます。でも私たちはホテルマンでもなければ介護福祉士でもありません。遺族の心中を思うと複雑な気持ちになります」

沼崎は取材メモを閉じた。白井がなぜ刑事になったのか知らないが、自殺者の身元を割り出すためでないことだけは確かなようだ。白井はベンチから立ち上がった。

「これから会議です。何かわかればこちらから連絡をいれますよ」

「わかりました。よろしく」

沼崎は階段を降りて、すぐに車に乗り込んだ。まだエアコンの温もりが残っていた。エンジンをかけ、エアコンのスイッチを最大に上げた。

第五章　調査委員会

奥村が聖徳会日野病院の合同調査委員会のメンバーを発表した。

日野誠一郎医師を除いた聖徳会病院関係者二人の内部調査委員と厚生労働省が任命した腎臓の専門家の医師らで構成された合同調査委員会が、日野医師が執刀したレストア・キッドニ移植について詳細な調査を行うことになった。聖徳会の内部調査委員として院長の日野三郎と若手の直井医師が加わった。

腎臓に関する医学会は日本移植学会、日本透析医学会、日本泌尿器科学会、日本臨床腎移植学会、日本病理学会、日本腎臓学会の六学会ある。合同調査委員会には六学会からそれぞれ一人ずつが加わった。

日本移植学会からは日野のレストア・キッドニについて厳しい批判を展開している井上輝雄理事長自らが参加することになった。透析学会を代表して調査委員会に名を連ねたのは、透析学会理事でもある慈愛会病院の大田勇院長だった。

泌尿器学会は中西豊、臨床腎移植学会は大場満雄、病理学会は津久見義則、腎臓学会は工藤次郎らが参加した。

リストを見て直井が言った。

「このメンバーでは最初に結論ありきで、調査したところで今まで以上にひどい中傷、非難が飛び交うだけですよ」

直井がそう言うのも無理もない。移植学会といっても、倫理指針一辺倒で、ドナーが少しでも増えるような施策を何一つ試みたことはない。井上理事長は内科が専門で、移植についての知識は極めて乏しい。

日野の疑問は海底に堆積する砂のように幾重にも重なり、重層な堆積岩のようになっていた。移植推進派を標榜する井上理事長が激しく日野非難を繰り返す背景には何があるのだろうか。

井上を移植学会の理事長に押し上げたのは、厚労省に影響力のある上原議員というもっぱらの噂だ。しかし、真偽のほどはわからない。

透析学会が下す結論はわかりきっている。倫理指針に則った移植なら容認と口では言っているが、それは建て前であって本音は別のところにある。透析患者は二十六万人から二十七万人。その上、その数は年々増加傾向にある。透析患者は一級障害者に認定され、医療費はすべて国が負担することになる。もちろん個人差はあるが、その年間医療費は一人六百万円から八百万円くらい。患者は死ぬまで通院する。いや死ぬまで透析を続けなければならないのだ。病院経営の側に立てば、言葉は悪いがある意味では最高の患者でもある。

その他の学会の代表がどう判断を下すかだが、日野自身にも合同調査委員会の結論は見えていた。調査委員の中には、日野が認める移植の専門家が一人もいないのだ。

熊本城の桜はまだ蕾で、今年の開花は例年より遅れそうだと、天気予報で予想を流していた。その頃、合同調査委員会は聖徳会日野病院が行ったレストア・キッドニ移植の専門的かつ詳細な調査に入った。

日野三郎院長と直井医師は委員会のメンバーとは名ばかりで、それぞれの学会を代表して参加している委員の質問に答えたり、要求された資料を用意したりするだけのことだった。

日野にその日の夜、調査の進捗状況を報告するのが直井の日課になった。

「熊本まで因縁をつけに来たとしか私には思えませんよ」

直井がふて腐れて言った。

インフォームドコンセントに関する書類を取っていないことは、奥村たちの調査で明らかになっているはずなのに、井上らは再度同じことを確認した。日野も同席を求められ、四十二ケースについて一つ一つ確認作業に付き合わされるのだからたまったものではない。もはや粗探し以外のなにものでもなかった。

メンバーの中でもカルテをこと細かく読んでいたのは病理学会の津久見医師だった。津久見は四十代で眼鏡をかけて一見温厚そうに見える。しかし、カルテに目を通している時の津久見からは誰も寄せ付けない緊張感が漂ってきた。他のメンバーがスーツ姿なのに対して、津久見だけは白衣を身につけていた。その下はクリーニングしたばかりのワイシャツにネクタイ姿だった。

「この患者には腎細胞がんのレストア・キッドニが移植されていますが、悪性度と浸潤度はどのように確認されているのでしょうか」

ドナーが聖徳会病院の患者なら当然そうしたデータも存在するし、カルテにも記載されている。しかし、マスコミが勝手に名付けた「有明海グループ」から提供された腎臓であれば、その病院のデータを尊重する。従って聖徳会病院にはそのデータはない。

「では、こちらのレシピエントについておうかがいします」

津久見は尿管がんの腎臓を移植された患者のカルテを机に広げた。

「尿の細胞診をほとんどしていないようですが」

「必要と判断すれば検査はしとる。余計な検査は患者に経済的負担をかけるだけたい」

日野の答えは竹を割ったように明快だ。

津久見は驚いているのか、呆れ果てているのか、日野には判別がつかなかった。津久見は眼鏡をかけ直し日野の顔をまじまじと見つめた。

しかし、津久見の質問に日野自身は何故か不快な印象は受けなかった。データを正確に分析し、レストア・キッドニ移植に判断を下そうとしている姿勢が津久見からは感じられた。

「ドナーからの腎臓摘出は何人のチームでやっておられるのでしょうか」

「五人」

「それではドナーへのリスクが増大するのでは」

大学病院や他の大病院なら、七、八人の医療チームが構成される手術なのだ。

「そんなことはなか。普通の泌尿器科の手術と同じじたい」

日野は淡々として答えた。

「次に血管筋脂肪腫の移植について教えてください」

血管筋脂肪腫は良性腫瘍の一つだ。

「四センチ大の腫瘍を取り除き、それを移植されていますが、一センチ大の腫瘍がまだ複数残っていたようです。この腎臓を移植されたレシピエントの状態はどうなんですか」

「この腎臓は定着し、機能も十分に果たしておる」

「残されていた腫瘍はどうなりましたか」

「CT検査では消えておる」

津久見はカルテに落としていた視線を上げて、肖像画を描く画家のように日野医師を見つめた。

「消えた原因についてどうお考えですか」

「ドナーにとっては病気であっても、異なった免疫システムを持つレシピエントに移植されると、機能が正常に戻ることがありうる。臨床経験からそうしたことがわかったとしか答えようがなか」

「ではネフローゼの腎臓を移植したケースですが、レシピエントにはどう説明されたのでしょうか」

「レシピエントには成功するかどうかは五分五分と伝えた」

「それで結果は……」

「正常に機能しとる」

津久見はもう一度眼鏡をかけ直し、日野の目を覗き込むようにして聞いた。

「日野先生はどうしてそうした事実を学会で発表なさらないのですか」

井上理事長が突然口を挟んだ。

「その点についてては移植学会が、この間ずっとお願いしてきていることなんです。日野先生のお考えなんでしょうが、脱会されてしまっているんです」

日野は井上の言葉に面喰らった。

「脱会でも退会でもなか。会費を払わんでおったから除籍になっただけたい」

学会の会費だけではない。離婚してからというもの、光熱費から電話料金、保険の引き落としなど、どこの銀行口座が使われているのかまったくわからない。電話など料金未納で何度止められたかわからないほどだ。

津久見が苦笑しながら言った。「日野先生、こうした事実は学会で発表すべきです」

津久見の調査だけは執拗を極めた。

調査委員会が病院に出入りする度に取材陣も病院周辺に待機する。

「あのうっとうしい連中、なんとかなりませんか」直井はうんざりといった顔で日野に不満を述べた。

「もう少しで調査も終わる。それまでの辛抱たい」

しかし、調査委員会はなかなか調査を終了しなかった。津久見と同じようにカルテを何度も見直していた委員がいた。腎臓学会の工藤次郎だった。二人だけは他の委員のことなど眼中にないのか、納得のいくまで日野や直井に疑問をぶつけてきた。

新しい事実が調査委員会から聞き出せない焦りを、報道陣は奥村に向けた。日野は報道陣に一切答えてはならないと、合同調査委員会から釘を刺されていた。

「近いうちに調査委員会の報告という形で結果を発表させていただきます」

こう言って記者たちの追及を奥村はかわしていたが、それも限界だった。

レストア・キッドニ移植については、すべての委員の調査が終了するまでは発表を差し控えなければならない事情があったのだろう。執拗な記者の質問に苦慮していた奥村は、前回調査済みの最近二年間の生体移植に関するデータを日野に要求した。

粗探しのための調査だとは想像がついたが、断れば何を記者に発表するかだいたい見当が付く。奥村の仕事の一つにマスコミ対応があるのだろう。彼らの記事になりそうな情報を提供するのも彼の役目のようだ。

二年分のカルテを渡すと、翌日、奥村がタバコ臭い口臭を撒き散らしながら日野のところにやってきた。

「先生、以前見せていただいたドナーのカルテが一つないのですが……」

「カルテがない？　もしかしたら紛失したのかもしれん」

日野が答えた。

「カルテを紛失したんですか」

奥村の口元から笑みがこぼれている。

翌日の新聞の見出しが日野の頭に浮かんだ。

「インフォームドコンセントの書類は皆無、ずさんなカルテ管理」

調査委員会は十日間ほどA市に滞在し、大田以外の委員は東京に戻っていった。

大田は調査委員を熊本空港まで見送り、その足で熊本市内のホテルにチェックインした。そこで上原宗助議員と密かに会う約束をしていたのだ。

「やっと終わりました」

上原の泊まっているスイートルームに入るなり、大田が言った。

「日野先生はどうなんだ」上原が聞いた。

大田は調査委員会の動向を伝えた。「これで日野先生の医師としての生命は終わったと思います」

「それならいいが……」上原にはまだ吹っ切れない不安があるようだ。

「井上理事長も奥村局長も、上原先生の意を汲んで動いてくれています」

「私ではなく、君の意を汲んでだろう」

「まあ、そうですね」大田は唇の端に思わず笑いを浮かべた。

「松嶋君に頼んで、井上理事長、奥村局長にはそれなりのものを贈ってもらったよ」

二人のところには賄賂が贈られている。松嶋は共健製薬の役員の一人だ。厚労省も医療費の削減を突きつけられ、製薬会社、医療機器メーカーは危機感を募らせていた。厚労省に対する裏工作を企業側も迫られ、松嶋はそれを一手に引き受けていた。

「その分の見返りは私のところからいずれ、と上原先生の方から松嶋さんに伝えておいてください」

大田は自信に満ちた答え方をした。上原にはそれが気に障ったようだ。

「ミスは許されない。一蓮托生とはこのことだな」

苦々しく思うのも無理はない。上原が予期していなかったことが次々に起きた。

「船橋の共健製薬退社も問題なかったんでしょうか」

「突然の退社で社内的にはいろいろあったと聞いている」

雲の上でも歩いているようなおぼつかない口調で上原が答えた。

共健製薬の営業マン船橋甫は昨年末、突然辞表を会社に提出した。しかも郵送で、それからは一切出社していないし、電話連絡も取れなくなってしまったらしい。松嶋の片腕とさえ言われていた船橋の退職は、共健製薬内部でも話題になり、給料に不満があったのではないかと囁かれていた。

「並川さんも苦労されているでしょう」

並川順造は上原の娘婿で、芸能プロダクション・オフィス並川の代表だ。上原はカプセルに包まれた風邪薬を歯で噛み切ったような表情を浮かべた。

「すべてをうまく処理するためには、まず聖徳会病院を廃院に追い込み、日野先生を完全に医療の世界から放逐することです」大田は自分自身を鞭打つように力を込めて言った。

「そうだな」

上原の言葉には覇気が感じられなかった。当然だろう。

大田はこれまで上原の後援会長として地元有権者の票を束ねてきた。保守系新人が立候補し、苦戦を強いられたこともあった。大田は上原の対立候補が学生時代、全共闘運動に参加していた事実を突き止めると、過激派の活動家だったという怪文書を選挙区内にばら撒かせた。対立候補は真っ向から否定したが、熊本という保守的な土地柄もあり、上原は辛くも議席を維持した。

大田は後継者として自分を指名するように上原に迫っていた。それまではのらりくらりとしていつ議員の座を譲り渡すのか明言を避けていたが、もはやこれ以上引き延ばしはできない状況に追い込まれていた。

上原は年齢のせいか最近は弱気で、体力の衰えも目立つ。弱気の理由はそれだけではない。上原には議席確保以上の貸しがある。それを返してもらうには、後任として大田を指名する以外にない。大田は上原の囲い込みに成功し、身動き一つできない状態に追い込んでいた。

「それでは私はこれで失礼します」

大田は自分の思い描いている計画が着実に進行していることを実感した。上原と別れ、大田はそのまま自分の部屋には戻らず、タクシーで熊本城の夜景が見えるマンションヘタクシーを走らせた。市内の高級クラブ「篠」のオーナーママの篠原彩夏がそのマンションで暮らしている。

彩夏と会う時にはいつも市内のホテルに宿泊しているように装う。熊本医師会の会合出席や学会に頼まれた仕事を処理するために、一人になりたいからと妻の真弓にはそう説明している。

エントランスでオートロックを解除して中に入った。エレベーターで十二階に上がった。

「アラッ、上原先生との打ち合わせはもう終わったのですか」彩夏が聞いた。

店から戻ったばかりのようで、和服からジーンズに白のブラウスに着替え、長い髪を梳いていた。

「クラブの方はいいのか」

「ええ、若い子に任せてきました。お食事はどうなさいますか」

「食べてきた。少し飲みたい」

「わかりました。今用意しますから、お風呂にでも入っていらしたら」

大田にとってはこの部屋が自宅のようなものだった。

妻の真弓とはことあるごとに対立していた。今の地位は私と結婚したからあるのよと人前で平然と言ってのける女だ。憂さばらしに夜のクラブを飲み歩いた。その頃、水商売に入ったばかりの彩夏と出会った。もう十年以上も付き合っているだろうか。

天草の漁師の娘で飛び抜けて美人というわけでもないが、男を鼓舞する才能に長けていた。彼女を目当てに来る客が増え、ホステスを始めてから数年後には自分のクラブをオープンさせていた。大田もその店に若い医師や開業医を連れて足繁く通った。間もなく男と女の関係になったが、彩夏は一切金の要求を大田にしたことはなかった。「篠」もすべて彼女の金で手に入れた。

折に触れて漏れてくる大田の言葉から、婿養子のつらい立場を理解してくれた。妻にしてほしいという言葉も彩夏の口から出たことはない。

しかし、さすがの彩夏も四十歳が目前に迫った頃から、いつまでもこの関係を続けていくのか不安を覚えると言うようになってきた。

「もう少し時間をくれ」

大田は彩夏に自分の計画を話した。慈愛会病院はすべて大田家に牛耳られていて自由にはならなかった。いずれ自分名義の不動産を手に入れ、そこに病院を建設し、政界入りを果たす計画があることを告げた。

「その時まで待ってくれ。必ず離婚して君と一緒になる」

大田は本気でそう考えていた。彩夏も大田の言葉を信じて、愚痴をこぼすこともなく大田に寄り添ってきてくれた。

家庭内離婚状態になり、寝室を別にした。当然、セックスレスになった。夫婦関係が破綻する前にはセックスはあったが、幸いにも真弓との間には子供は生まれなかった。しかし、真弓の異様な猜疑心に結婚直後から悩まされ続けてきた。

帰宅が遅ければ、誰と飲んでいたかを詳細に聞くまでは納得しなかった。翌日、その話が事実かどうか、医師、看護師らに確認を取った。少しでも齟齬があれば、大田を責め、看護師と二人で過ごした時間があれば、その看護師を執拗に詰問した。

中堅看護師の長谷川佐織は外科の看護師長を支え、献身的な看護で外来患者からも入院患者からも信頼されていた。看護師長ががんで長期療養を強いられる事態に陥った。その時も長谷川は休みを返上して、看護師長の代理を務めてくれた。

感謝の気持ちで、ホテル内のレストランでフランス料理のフルコースを長谷川にご馳走した。彼女からお礼のメールが大田の携帯電話に入った。

その二日後、真弓は長谷川の住むマンションに押しかけた。長谷川には夫も、そして二人の子供もいた。そんなことはおかまいなしで、食事をした理由を夫や子供のいる前で問い詰めた。

「主人と一緒に食事をするなんて不謹慎な真似は二度としないでください」

長谷川と食事をした事実をどうして真弓が知ったのか理解できなかった。彼女からメールが入っていたことを思い出し、真弓を怒鳴った。

「私のメールを見るなんて君は恥ずかしくないのか。しかも長谷川君のお宅にまで押しかけたというではないか。私の信用にも関わるし、病院の経営にも影響する。二度とこんなことはしてくれるな」

真弓は人差し指で、大田の鼻先を弾くように嘲り、笑みを浮かべながら言った。

「何をおっしゃっているのか私には意味がわかりませんわ。第一、あなたの携帯電話なんて手に取ったこともありません」

こんなことが何度も繰り返された。

最初の頃は医師も看護師も大田に同情していたが、関われば真弓の執拗な追及に遭う。次第に大田は周囲の者から避けられるようになった。

病院は慈愛会が運営し、院長は大田だが実権は真弓の一族が握っていた。大田はいってみれば大番頭扱いでしかなかった。病院の敷地、建物はすべて大田一族の名義で、大田勇の個人名義の不動産は何一つとしてなかった。

真弓と結婚した頃、病院は破綻寸前だった。それを再建したのは大田だ。その実績はいっさい評価されず、真弓は金を湯水のごとく使い続けた。家庭内離婚になると、その頃から大田の行動には目を光らせるが、自分は海外旅行に出かけ、週末になると北海道や北陸の温泉巡りをしていた。

一日おきに美容院やエステに通うようにもなった。病院に真弓が訪れたこともすぐにわかるようになった。香水の匂いに感覚が麻痺してしまったのか、体中にシャネルの香水をふり事務室を歩き回る。数時間はその匂いが漂っている。その匂いを嗅ぐと吐気がして、大田は院長室にこもるか、入院患者を見回るように心がけていた。

彩夏と二人で過ごす時だけは、そうした煩わしさから逃れることができた。

風呂から上がると、熊本城の夜景が見える窓際に置かれたテーブルに、ワインが用意されていた。

「もう少しで俺の計画が実現に向かう。長い間苦労させたが、必ず報いるからついてきてくれ」

彩夏が妖しく、うれしそうに微笑みながらワインをグラスに注いだ。

「目を付けていた病院建設予定地がなんとかなりそうだ」

「よかったですね。きっとうまくいくわ」

「後は上原議員がいつタスキを俺に渡してくれるかだな」

「それがいちばん難儀な仕事になりそうな気もしますが……」

「いや、上原の首根っこを完全に掴んだから、いつまでも居座る気なら引き摺り下ろすこともできる」

大田は自信に満ちた声で彩夏に言った。

寝室からも熊本城が見える。彩夏が大田を寝室に誘った。

「今日は泊まっていらっしゃっても大丈夫なのでしょうか」

大田は彩夏を押し倒すようにしてベッドに寝かせた。二人だけで過ごせるのは月に二、三度だけだ。彩夏はどんなにクラブが忙しくても、その夜だけは大田のために時間を作った。

体型が気になるのか毎日スポーツジムに通い、二十代のプロポーションを維持していた。「篠」に彩夏目当てに通ってくる客の気持ちがわかるような気もする。ジーンズを脱ぎ、ブラウスを取り、大田の横に身を寄せ、自分から両手を首に絡ませてきた。大田はブラジャーを外しパンティーも剥ぎ取った。豊かな胸を鷲掴みに揉みしだきながら、手を下腹部へ移動させた。白磁のような肌をしている彩夏だが、頬が睡蓮の花のように少し赤みを帯びたピンクにかわった。大田は熟れた桑の実のような乳首を吸い続けた。

彩夏の呼吸が次第に荒く激しくなってきた。彩夏は大田の手を振り払い、身を起こすと大田自身を口に含んだ。どうすれば大田が最も喜ぶかを知り尽くしていた。口の奥まで吸い込み、ねっとり舌を絡ませながら吐き出すようなリズムで口を上下させた。大田自身は一気に上り詰めるが、その瞬間に彩夏は力を抜いた。

何度となくそのリズムを繰り返し、大田自身ははち切れんばかりにいきり立っている。彩夏は口を離すと、そのまま大田の上に馬乗りになり、いきり立ったものを自分の中に導きいれた。髪を振り乱しながら腰を上下させた。

「勇さん、私はあんたを好いとるとよ……」

彩夏はベッドの上では熊本弁を使った。

「俺もばい」

「あんたは熊本あたりの田舎の院長で終わる男じゃなか」

彩夏の腰の動きに合わせて、大田も激しく突き上げた。二人だけになった時の彩夏は、羞恥心のかけらもなく歓喜の声を上げた。

その声が大田の欲情をさらに掻きたてた。月に数回しか会えないという状況がさらに二人のセックスを濃厚なものにしている。その晩、二人は二十代の若者のように何度も求め合った。

まどろみ始めた大田の胸に顔を埋めながら、彩夏がやはり夢うつつの中で囁いた。

「国会議員大田勇の嫁になるとが私の夢たい」

彩夏の期待に応え、自分の野望を実現するためには、真弓一族の手の届かない独自の経済的基盤が必要になる。上原議員はもはや自分の手に落ちたも同然だ。後は上原を最大限利用して、その基盤を構築することだ。大田の計画は一歩一歩確実に進んでいた。

そう思うと自分の中に漲る力が再び沸き起こってくる。大田は彩夏の肩を抱きしめた。

「生体腎移植　ドナーのカルテ紛失　聖徳会日野病院」

　こんな見出しが目に飛び込んできた。記事を読み終えると、沼崎はしばらくの間棋士が碁盤を見つめるように新聞に目を落としたままだった。そして記事を切り抜いた。

　思いついたように立ち上がると厚労省の広報に電話を入れた。

「聖徳会日野病院のドナーカルテの紛失について教えてください」

「どういったことでしょうか」

「ドナーの性別も、年齢も新聞記事には報道されていませんが、厚労省としては当然把握されているんでしょうね」

「ちょっとお待ちください。担当者に代わります」

　聖徳会日野病院については専属の広報官がいる様子だ。

「ドナーの性別、年齢ですが、厚労省が把握しているかどうかについても、個人情報保護法に抵触する可能性があるので一切お答えできません」

　机の上に置いたメモを読み上げるような口調で担当者が答えた。

「そうですか。では、移植時期についてはどうなのでしょうか」

「それについても詳細にはお答えできませんが、調査委員会が二年以内に行われた生体移植についての調査を行っている時に、紛失の事実が判明したとしかお答えできません」

役人の紋切り型の答えにうんざりして沼崎は電話を切った。

すぐにクリエイティブ・イフプロに電話をかけた。代表の野呂が何時頃出社するか、スタッフの名前を記した黒板にメモされている。

「沼崎だけど、今日は何時頃、野呂さんは出社するようになっているのかな」

入社したばかりの女性が「五時出社になっています」と答えてくれた。

それまでの時間、沼崎はインターネットで聖徳会日野病院の一連のニュースを読んでみた。熊本日日新聞、西日本新聞が三大紙より詳細に報道していた。しかし、厚労省の広報官が言った通り、ドナーの性別、年齢は記されていなかった。

新宿区鶴巻町にある雑居ビルの二階、三階がイフプロのオフィスだ。二階が撮影してきたビデオの編集室で、三階にそれぞれの机がある。沼崎が出社すると、野呂は取材が早く上がったのか、原稿を書いていた。小さなプロダクションは社長も社員もない。社長自ら現場で撮影を指揮し、原稿も自分で書かなければ、会社は成り立たない。

「野呂さん、仕事中悪いけど、少し時間をください」

野呂はキーボードを叩くのを止め、窓際を指した。窓際に丸いテーブルが置かれ、四脚のパイプ椅子が並んでいる。

「局と交渉して通してほしい企画があるんだけど……。俺の名前は伏せてもかまわないからさ」

　また取材スタッフから外されたのではたまったものではない。

「どんなネタ？　金になりそうなのを頼むよ」

「年末にやった富士裾野の青木ヶ原樹海特番、あれの続編」

「女性の身元が判明したとか、新しい切り口がみつからないと無理だよ。この間やってておかげさまで数字は取れたけどさ、やるとしても今年の年末だよ」

「同じものをやる気は俺もないさ」

　野呂の早とちりに食って掛かるように沼崎は声を荒らげた。

「カルテ紛失」記事の切り抜きをテーブルに広げた。見出しを見ただけで、野呂は上目遣いに疑いの目を向けた。

「これが青木ヶ原の続編とどういう関係があるの」

　イフプロにはテレビの世界に憧れを抱いて入社し、現実とのギャップに心を病んで退社していく者も多い。野呂の目には沼崎がそうした一人に映ったようだ。

「少し休んだ方がいいんじゃないの」

　机で原稿を書いていたディレクターが一斉に沼崎に視線をやった。

「最後まで聞いてくれ」

　沼崎は押し殺した声で説明を始めた。

それを聞くと野呂は合点がいったのか、新聞の文字を読むように沼崎をまじまじと見つめ、今度は頷きながら話を聞いている。

「それでどうしたいんだ」

沼崎の話が終わると、野呂が聞いた。

「富士吉田署の白井刑事を口説き落としたい。その先どうなるかはまったく読めない。でも調べてみたい」

「わかった。局を通していたのでは埒があかない。イフプロの企画として通すから取材をしてみてくれ」

意外な返事が返ってきた。野呂の中にも、学生時代に考えていたようなドキュメンタリー番組への熱い思いはくすぶっていたのだろう。

野呂の了解を取り付けると、沼崎は富士吉田署の白井刑事に電話を入れた。

「取材のお礼に一度食事でもしたいのですが、都合のいい日に大月あたりでどうですか」

富士吉田近辺では、他人の目もある。大月なら白井も出やすいと思ってのことだ。

三日後、沼崎は大月の寿司屋で白井と会った。カウンター席でしばらくは酒を飲みながら世間話をしていたが、接待された理由が気になるのか、白井が聞いた。

「相変わらずあの遺体の身元を追っているんですか」

「ええ、追っています」

「まさか」

沼崎があまりにも真剣な顔で答えたので呆れるというより、白井は本当に驚いた様子だ。

周囲には客がいた。沼崎は小声で生体腎移植の現状を説明した。

「日本の腎移植は年間千例足らずです。そのうち死体腎、脳死腎移植は百五十例程度に過ぎません」

白井は沼崎の意図していることがわかったのか、盃をカウンターに置き、難解な微積分問題を考える学者のように考え込んでしまった。

「動いてみる価値はあると思いますが……」沼崎は畳み掛けるように言った。

白井は手酌で盃に酒を注ぎ、一気に飲みほし言った。

「これは私の一存では動けませんが、上を説得したいと思います」

「その時は独占ということでお願いします」

「わかりました。それも上と話し合ってみます」

「いい連絡を待っています」

白井が帰った後、大月駅に向かった。沼崎は最終の特急新宿行きに間に合った。

沼崎が考えている通りの取材ができれば、青木ヶ原樹海特番よりも高視聴率が取れるはずだ。野呂の期待にも応えられる。文化メディア社を去る時、侮蔑に満ちた視線を背中に感じながら編集室を出た。かつての同僚にも健在ぶりを誇示することができる。沼崎はそう思った。

給食の時間が終わり、午後の授業が始まる十分ほど前だった。担任の教師が青い顔をして教室に駆け込んできた。沼崎は国語の教科書を開き、授業の準備を始めていた。

「恭太君、今、おうちの方から電話が入ったの。急な用事のようなので、今日は早退でいいから大急ぎで家に戻りなさい。決して寄り道をしてはいけませんよ」

帰宅すると玄関前で姉が待っていた。父親は中学校の校長、母親も小学校の教師、中学二年生の姉、そして小学校五年の沼崎の四人家族で、ふだんは夕方まで留守になる。その日に限って姉も早退したらしい。

血の気の引いた姉の表情から何か異変が起きたことは想像がついた。

「何があったの」

沼崎が聞くのと同時に姉が答えた。

「お父さんが学校で倒れたらしい……」

父親は校長室で急に不調を訴え、すぐに病院へ搬送されたようだ。母親は学校からそのまま病院に駆けつけているという。

父親はいじめ問題で荒れている中学に異動になった。いじめられた女子中学生が一週間ほど前に自宅で、母親の留守中にクビ吊り自殺した。遺書めいたものは何もなかった。

母親はいじめが自殺の原因で、改善を求めて何度も学校に足を運んでいたと泣きながらマスコミに訴えていた。その様子がテレビに流れ、新聞も学校の対応の杜撰さを強調する記事を報道した。

死んだ女子中学生がいじめを受けていたのは事実だった。それに対して父親や担任教師はいじめグループを呼んで、いかにいじめが人の心を傷つけるかを話し合い、いじめをなくそうと懸命に努力していた。その経過は死んだ生徒の母親にも、担任教師を通じて報告されていた。

自殺した生徒には虚言癖があった。その一因は母親にもあると沼崎の父親は考えていた。虚言は少女の妄想だったが、周囲の生徒の関心を引くには十分なものだった。

「家には外車が三台あるの」

「パパは外交官であまり家にはいないのよ」

虚言は家庭の裕福さと父親の不在理由に言及するものばかりだった。すぐにばれるようなウソを少女は平然とついていた。それでも事実を知られるのを恐れたのか、少女は同級生に自宅を教えようとはせずに、いつも一人で帰っていた。

ある日、数人の女子生徒が彼女を密かに尾行した。家は学区の外れにある老朽化した木造モルタル造り二階の一部屋だった。

翌日からいじめが始まった。いじめというよりウソとわかり冷ややかな対応をされるようになっただけだが、少女は仲間外れにされたと被害意識を持った。それ以後ますます虚言癖はエスカレートし、孤立感を深めていった。

その背景には、孤独と寂しさがあると考えた沼崎の父親は頻繁に少女の自宅を訪ねていた。虚言癖の事実を母親に説明した。夢と現実が交錯し、自分でもその境がわからなくなってしまっているのが原因ではないかと伝えた。注目してほしくてウソをついているとも考えられるので、学校も適切な対応を取るように努力するから、親もその点は留意して子供に接してほしいと何度も訴えた。

母親はシングルマザーで、昼間は寝ていて、夜はホステスをしていた。帰宅は深夜から明け方で、少女が登校する時はほとんど眠っていた。少女の自殺はいじめグループに対する抗議というよりも、母親への失望が大きかったのではないかと沼崎の父親は考えた。しかし、生徒が自殺すると母親の一方的な主張だけが報道された。

少女は沼崎の父親にすべてを打ち明けていた。深夜に物音で目を覚まし、隣の布団で母親が見知らぬ男に抱かれているところをいく度となく目撃していた。少女は確実に心を病んでいた。専門医のケアを受けさせるように母親を説得したが、まったく無意味だった。

マスコミの集中砲火にさらされながら、そうした事実を公表することもなく、父親は対応に追われた。そのストレスが引き金になったのだろう。脳梗塞を起こし、意識不明の重体に陥った。

父親の机の中から、少女が書いた手紙が発見された。それには母親としてあまりにもだらしない生活がつづられ、母親の戯れ声に耳を塞ぐ少女の気持ちが記されていた。やはり批判されていた担任教師がその手紙の一部を示して、訂正記事を求めた。しかし、それをニュースにした新聞社もなければ、訂正記事を流した週刊誌もなかった。

結局、一命は取り留めたが重篤な後遺症が残り、父親は教師生命を絶たれた。沼崎がジャーナリストを志した瞬間だった。

そうした経験を持つ沼崎が取材対象者を自殺に追い込んでしまった。最初から手記など掲載する気もなく、してはいけないと考えていた。しかし、目の前に手記を出され、掲載しろと迫る田所に面と向かって反対できなかった。その自分の弱さに対する悔恨と自責の念にさいなまれた。それが退社の本当の理由だった。

第六章　樹海の証言者

白井刑事の動きは予想以上に速かった。会った翌日の夕方には電話が入った。

「例の件ですが、上司の了解を取り付けたので、公務として厚労省を訪ねます。その前に沼崎さんからレクチャーを受けたいのですが、時間をいただけますか」

「もちろんです」

電話を切った後、沼崎は仮説を立ててみた。青木ヶ原の遺体は左の腎臓を摘出されていた。がんで腎臓を摘出したことも当然考えられる。そうしたケースまで含めるとすれば、調査範囲は一気に広がってしまう。がん患者の線から遺体を特定するのは困難だ。

しかし、遺体の腎臓が生体移植のために摘出されたのなら厚労省のデータから、身元を割り出すのは可能になる。司法解剖の結果、樹海の遺体は発見からさかのぼって一年半から二年の間に摘出手術が行われたとみられた。プラス二ヶ月の誤差を含め一年四ヶ月から二年二ヶ月の十ヶ月のデータ中に、遺体と同年齢のドナーが存在するかどうかが鍵だ。

腎臓の生体移植は年間八百五十例、一ヶ月約七十一例ということになる。つまり七百十一例のドナーの中に、遺体と同じくらいの年齢の女性がいるかどうかをまず厚労省のデータから引き出し、そのドナーの生存を確認すればいい。

　該当者がいなければ、遺体はまさに闇の医療で腎臓を摘出された可能性が出てくる。沼崎はアクション映画を観る子供のように興奮した。白井もそれは同じなのだろう。沼崎には、世間を驚かすようなスクープがかかっている。白井には刑事としての功績がちらついているに違いない。

　毎日のようにお互いに電話をかけて情報交換をした。白井は厚労省に情報の開示を求めているらしい。

　厚労省との段取りがついたところで、白井は新宿区四谷にあるビジネスホテルに泊まるので、その日の午後にでも会いたいと言ってきた。

　約束の時間に四谷三丁目交差点近くのホテルを訪ねると、ロビーに白井の姿はなかった。携帯電話を鳴らすと、すでに部屋にチェックインしていた。

「打ち合わせをしているところを誰にも見られたくないんで、すみませんが部屋でお願いします」

　白井の泊まっている部屋はシングルだった。

「明日、厚労省の奥村局長と会う約束になっています。聞くべきことは整理してありますが、沼崎さんの持っている情報と摺り合わせをしておきたいと思います」

沼崎は自分の仮説を説明し、それを証明するために厚労省から引き出したい情報を白井に伝えた。白井は警察手帳にメモを走らせている。沼崎がすべての話を終えると、白井が言った。

「報道の自由を制限するつもりはありませんが、いつの時点でどこまで報道するかは一度私に相談してもらえますか。立場上流してもらっては困る映像もあります」

「白井さんの立場を尊重します。あくまでも信頼関係の上に成立する話ですから」

「では早速で申し訳ありませんが、明日の厚労省に入るシーンはＮＧでお願いします」

「わかりました」

翌日、白井から沼崎の携帯電話に連絡が入ったのは、夕方の四時過ぎだった。

「これから富士吉田署に戻りますが、一週間後にまた霞が関にきます。その時に厚労省のデータは上がってきているはずです」

一週間、沼崎は粘着性の油が一滴一滴したたり落ちるような時間を過ごした。

同じホテルに沼崎は呼び出された。

山梨県警富士吉田署の捜査協力依頼に厚労省の対応は早かった。約束通りのデータを期間内で揃えていた。

「結論から先に言いますね」

白井は一刻も早く富士吉田に戻り、捜査に着手したいとはやる気持ちが体中から滲み出ている。

「二十代から三十代前半の女性で、該当期間に移植のために腎臓を提供した女性ドナーは、二人しかいません。広島県と東京で、二人とも健在です」

「ということは樹海の遺体は、闇の移植でドナーになったか、あるいはドナーにさせられた可能性が出てきたということですね」

「聖徳会日野病院の紛失したドナーのカルテと、樹海の遺体が結びつくかどうかはまったくわかりませんが、捜査してみる価値はあります」

いつも難しい表情を浮かべている白井だが、溌剌とした顔をしている。やはりこれから捜査する事件に刑事としての情熱をかきたてられているのだろう。

「捜査に着手するところからカメラを入れてもいいですか」

それは沼崎も同じことで、映画の幕が上がっていくような気分だった。

「上の確認を取りますが、まず問題はないと思います。それともう一つお伝えしたいことがあります」

白井は紛失したカルテのドナーから腎臓を得たレシピエント情報も聞き出していた。

芳賀美津子。現住所、福岡県久留米市津福本町○○番地。

「芳賀美津子の取材は独自に動いてもかまいませんね」

「それはどうぞ、そちらの判断にお任せします」

沼崎は羽田空港から福岡に飛んだ。移植によって健康を回復していれば当然昼間は働いているだろう。久留米に着いた時には夜の七時を回っていた。羽田空港で見たテレビでは、九州の桜の開花宣言は一週間以内に出されるだろうと、天気予報士が告げていたが、福岡は夜になると冷え込んだ。ジーンズに厚手のタートルネックのセーター、ダウンのハーフコートを着込んでいるが、足元から冷気が伝わってくる。タクシーで津福本町に向かった。

芳賀美津子が暮らしているのは小さな通りに面した三階建ての小ぢんまりしたマンションだった。鉄筋造りだが、外灯に照らされた壁のあちこちにクラックが見られ、かなり古いマンションのようだ。一階に郵便受けが備えられていて、二〇一号室の郵便受けに芳賀とだけ記されたシールが貼られていた。

外付けの階段で二階に上がった。呼び鈴はなくドアをノックした。

「どちら様ですか」中から女性の声がした。

東京のGテレビ局のニュース番組を制作しているディレクターで、取材したいことがあって久留米にきたと沼崎は告げた。

セーフティーチェーンを付けたままドアが少しだけ開いた。疑いのこもった瞳で隙間から沼崎を見ている。

「聖徳会日野病院で腎臓移植を受けた芳賀美津子さんですね」と本人であるかどうかを確認した。

「そうですが……」

名刺を差し出した。芳賀は隙間から名刺を受け取ると、一瞥することもなく聞いた。

「どげん取材ね」

ガラスの破片のように刺々しい口調に変わった。不信感というより怒りが眉間に現れている。

「二年ほど前に移植されていますよね。ドナーについてお話を聞きたくておうかがいしました」

「あんたに話すことは何もなか。あんたたちマスコミは自分の都合のよかことばっかり報道して、勝手すぎるばい。誰が話なんかするもんね」

取り付く島もなかった。芳賀は強引にドアを閉めて、二度と開けようとはしなかった。沼崎がドアをノックすると、

「うるさかね。これ以上、ドアを叩くと警察に通報するけんね」

こうなると引き下がるしかない。芳賀の拒否ぶりでは明日来ても結果は同じだろう。

その夜は久留米市内のビジネスホテルに宿泊した。

翌日、もう一度ドアをノックしてみたが、不在の様子で返事はなかった。芳賀の住むマンションの二階の入居者全室のドアをノックしたが、返事があったのは一人だけで、芳賀とはまったく付き合いがなかった。一階、三階の住人にも聞いたが、付き合いはなかった。人間関係が希薄になったのは、都会に限ったことではないのだろう。

マンション周辺の住民にも聞いて回ったが、芳賀美津子と付き合いのある人間は見つからなかった。一軒だけ広い庭構えで、瓦屋根の古い造りの家があった。老人が庭にパンジーの苗を植えていた。

東京から来て、聖徳会日野病院で移植を受けた患者の取材をしているとだけ伝えた。

「すぐそこのマンションに住んでいる芳賀さんっていう女性がいるんですが、どなたかあの人と親しい方って近所にいるでしょうか」

老人はまぶしいほど強い日差しがさしているわけでもないのに、目を細めて沼崎を見つめた。

「芳賀って、あのマンションの二階だか三階に住んでいる女か。付き合いはなかが、なんばしたつね、あの娘が」

「いいえ、そういうことではありません。例の問題になっている聖徳会日野病院で治療を受けているようなので、日野医師について話を聞ければと思ってきたんです」

「娘も聖徳会にかかっとったつね。オフクロさんは腎臓が悪くて、十年ほど前に亡くなったが」

「母親も腎臓が悪かったんですか」

「亭主が悪か男で、このあたりじゃ鳥羽博之と言ったら、わしらぐらいの年代の人間なら知らん者はおらんくらい有名なヤクザたい」

「ヤクザですか」沼崎は思わず聞き返した。

老人は手に付いた泥を払いながら続けた。

「博多のヤクザと縄張り争いで、相手の組幹部を鳥羽は殺してしまった。もう二十年以上も前のことばってんな……」

「で、今はどうしているんですか、鳥羽博之は」

「刑期を終えて博多で堅気の生活ばしとると聞いたな」

「亡くなられた奥さんのところには戻ってこなかったんですか」

「事件後、女房と娘は旧姓に戻してあのマンションに引っ越してきたが、みんな事実を知っとるんもんでそりゃ苦労しとったばい。女房が早死にしたんも、鳥羽があげんこつしでかしたんが、原因だとわしは思うとる」

芳賀美津子と個人的に付き合いはなかったが、芳賀美津子と母親が二十年前に引っ越してきた経緯は聞き出すことができた。

沼崎は福岡に戻ると、県立図書館の新聞閲覧室で、鳥羽博之の殺人事件が実際にあったのかを確かめてみた。

勢力を拡大してきた博多の暴力団が久留米に縄張りを広げようとして地元のヤクザと小競り合いを起こしていたようだ。鳥羽は確かに殺人罪で逮捕されていた。

事件発生から鳥羽の判決までの主だった記事を念のためにコピーしたが、鳥羽博之の情報は白井刑事を通じて集めた方が早くて正確だろうと沼崎は思った。


「日野先生、受付に山梨県から来客のようですが」

受付から回ってきた電話を取ったのは、看護師長の加藤だった。

「山梨県から……」

日野は加藤からナースステーションに備え付けの子機を受け取った。

「日野ですが」

以前に自分が担当した患者が山梨県に引っ越し、その患者が受付にきていると日野は思った。相手は自分の身分を明かした。

「山梨県警……。山梨の刑事が何の用ね」

刑事と聞いて反射的に不愉快さがこみ上げてくる。白井と名乗った刑事は訛りのある言葉で、ドナーについて任意の事情聴取に応じてほしいと低姿勢で申し込んできた。

A警察署の任意取り調べで煮え湯を飲まされた日野は、「そげん話なら、夜の九時過ぎに自宅に来るとよか」と答えて電話を切った。

「また警察ですか。今度は何事ですか」加藤も眉間に皺を作った。

その夜、白井の声が九時ぴったりに玄関から聞こえてきた。

引き戸を開けると、三人の男性が寒そうに突っ立っていた。左端の屈強な男が「今日は突然おうかがいして申し訳ありません」と挨拶した。左端の男が白井刑事なのだろうが、一人は挨拶もせずにビデオカメラを回し、もう一人も刑事ではなさそうだ。

「男一人で暮らしているけん、お茶も出せんが、それでよかなら中に入れ」

日野は三人を中に招き入れた。白井の隣りにいたのはやはり記者だった。差し出された名刺に「クリエイティブ・イフプロダクション　沼崎恭太」と記されていた。白井の背中を撮影している男は、名刺も出さずに「吉田です」と言った。

「二人は富士吉田署の密着取材をしています」白井が説明した。

「密着かなんかしらんが、わしは困るばい」

吉田が日野の顔が写らないようにアングルを下げようとした。それを制して沼崎が言った。

「臓器売買事件以降、日野先生は半ば公人ですから、テレビに出てもかまわないでしょう」

「止めてくれと言ったところで、あんたらは平気でテレビに出しよるじゃなかか」

日野の抗議など歯牙にもかけないといった様子で吉田は撮影を続けた。

白井は勝手に座卓の前に座り込んだ。

「おうかがいした理由を説明します。富士山の麓に青木ヶ原樹海という自殺の名所があります。そこで昨年末、腎臓を摘出された女性の遺体が収容されました。遺体の発見者は樹海の撮影をしていたこの二人です」

「その遺体とわしとどげん関係があるとか」日野は叩きつけるように聞いた。

「それを今からご説明します」

白井が遺体の発見状況を伝えた。厚労省の協力を得て、腎臓のドナーの線で該当者がいるかどうかの確認作業を行った。遺体と同時期に腎臓を摘出し、ほぼ同年齢の女性ドナーは全国に二人。二人は健在だった。

「遺体と同時期に摘出手術が行われていて、ドナーが不明なケースが一例だけありました」

白井刑事や同行取材をしている二人のスタッフの来意が理解できた。

「紛失したカルテのドナーが、青木ヶ原の遺体ではないかと疑っとると」

日野は思わず声を出して笑ってしまった。マスコミというのはどこまで愚かなのか。

それに刑事まで巻き込んでいる。呆れ果てて言葉が見つからない。

「これを見ていただけますか」

白井はまったく意に介さず写真を座卓の上に六枚ほど並べた。

「樹海で発見された女性の遺体です」

日野は写真に目をやったが、即座に答えた。「知らん、こげな女性は」

「よく見てください」

仕方なく一枚一枚取って見たが、いくら見たところでまったく記憶にない。

「会ったこともないし、ましてや腎臓摘出なんてとんでもない話たい」

「でも日野先生、カルテを紛失しているのに、この女性がドナーではないとどうしてわかるんですか」

「カルテがなくてもそれくらいは記憶しとる」

「新聞報道によれば、最初のレストア・キッドニ移植については忘れて覚えていないと答えていますよね。お忘れになってしまった可能性だってあるでしょう」

白井が執拗に食い下がってきたが、写真の女性にはまったく見覚えがない。

「言っとくが、あのケースのドナーは男ばい。答えはそれで十分だろう。もう帰ってくれ」

「男性がドナーというのは間違いないのですね」白井が念を押した。

「ああ」

「レストア・キッドニを移植されたのですか」

「いや違う」

「日野先生、不躾な質問だとは重々承知していますが、仕事なのでお許しください。大平剛が柳沢裕子から腎臓を買ったように、誰かの腎臓が売買されたということではないでしょうね」

日野は立ち上がり、玄関のドアを開けた。

「帰れ。話すことはもうない」

その様子を吉田はずっと撮り続けていた。


「先生、大至急来てください」直井の声がした。

泌尿器科の診察室から出て患者待合室に向かった。聖徳会日野病院にあるテレビは待合室の角に置かれている液晶テレビだけだ。以前置いてあったアンテナが付いたポータブルテレビは画像が荒くて見にくいと患者から苦情があり、最近取り替えたばかりだ。診療時間も終わり、見舞いにきた家族が二、三人いるだけだった。

「もう一つのレストア・キッドニ移植疑惑」タイトルが大写しになっている。

画面の映像は首から下だったり、モザイクがかかった顔の映像だったりしたが、白衣のポケットに右手を突っ込んでいる。明らかに日野医師だとわかる。

日野が白井刑事と玄関で話している時の映像だ。

すぐにスタジオ内の女性キャスターに映像が代わった。

「先日もお伝えしましたが、聖徳会日野病院の臓器売買問題、さらにはがんやその他の病気を持った腎臓、つまり一連のレストア・キッドニ移植の問題。これらの問題については厚労省を中心とした合同調査委員会で詳細な調査が進められているところです。

その一方で、もう一つ不可解な問題が浮上しています」

今度は富士青木ヶ原樹海の映像とともに男のナレーションで解説が流れた。

「昨年末の特別番組の取材で、亡くなったばかりの女性の遺体が取材スタッフによって発見されました。その遺体の身元は現在も富士吉田署によって懸命に捜査が進められていますが、いまだに手がかりさえ掴めていません。

女性の遺体は司法解剖の結果、左の腎臓が摘出されていることが明らかになっています」

再び女性キャスターの顔が映された。女性キャスターの右横に井上移植学会理事長が座っていた。

「今日は特別ゲストとして移植学会理事長にスタジオに来ていただきました。井上先生、解説の方よろしくお願いします」

「よろしくお願いします」井上がテレビカメラに向かって頭を下げた。

「井上先生は聖徳会日野病院で行われたレストア・キッドニ移植についても、移植学会を代表して調査に加わっておられました。その後調査はどうなっているのでしょうか」

「調査は私だけではなく他の腎臓に関係する学会の代表らと合同で行ったもので、現在、調査したデータを分析している最中でございます」

「その結果については後日詳しくおうかがいすることにして、今回の樹海の女性遺体ですが、腎臓摘出についてはどう思われますか」

「若い女性があんな寒いところで命を落とされて本当にお気の毒だと思います。腎臓摘出で考えられることは二つだけです。一つは腎臓になんらかの病気、具体的には腎細胞がんとかで、どうしても摘出するしかなかったということですね」

「もう一つ考えられるというのは？」

「それは腎臓を誰かに提供した。つまり移植のために摘出したということが考えられます」

「腎臓移植の数というのはどれくらいあるものなのでしょうか」

「日本では年間千例で、生体移植がそのうちの八百五十例といわれています」

「もし遺体ががんではなく、移植のために摘出したと仮定します。そうすると八百五十例のドナーをつぶさに調べれば遺体の身元は判明するということになりますね」

「そうです」井上が自信に満ちた声で答えた。

女性キャスターの顔がアップで映し出された。

「当番組もこの点に注目して取材を進めました。独占スクープです」

女性キャスターも誇らしげな顔で伝えた。

厚労省のビルが大写しで画面いっぱいに映し出された。男性のナレーションが流れた。「樹海の遺体とほぼ同年齢で同時期にドナーとなった女性は二人だけ。その二人とも健在です」

再びスタジオの井上理事長が映った。

「厚労省から情報の提供を求められ、二人のドナーについて調査しました。二人ともベテラン医師によって移植は行われ、ドナー、レシピエントともに健在です」

「そこで私たちが注目したのは、井上先生たちが調査されている聖徳会日野病院です。日野医師というか、聖徳会そのものが杜撰なのか、患者のカルテ、しかも腎臓を提供したドナーのカルテがなかったようですね」

女性キャスターが井上にコメントを促した。

「日野先生に探していただくように再三お願いしたのですが、結局紛失したということで病院にはありませんでした」

「カルテがなくなっているドナーの腎臓が移植に用いられた時期と、樹海の遺体から腎臓が摘出された時期がほぼ重なる事実を当番組では突き止めました。その頃、聖徳会日野病院で移植手術を受けたレシピエントを追ってみました。その映像をご覧ください」

白井刑事が古びたマンションに向かって歩いていく後ろ姿が流れる。古びたマンションョン全体にボカシが入っている。場所を特定されないように配慮しているつもりなのだろう。

ドアが開き、女性が出てきた。白井刑事が訪ねてきた理由を説明している。「富士吉田署の刑事は樹海の遺体に心当たりがないかを尋ねた」とテロップが流れた。

「ドナーについて、私は何も聞いていません」女性の声は甲高い声に修正が加えられていた。

「可能なら樹海の遺体の写真を見て確認していただきたい」

テロップが流れるだけで、白井の声は一切出ない。

レシピエントが写真を見ている。すぐに写真を返した。

「知りません」

いくら写真とはいえ凍死した遺体写真など見たくはないだろう。

「本当にドナーについて知らないのですか」

「だから知らんて言うとるじゃなかね。あんたもくどか男ね」修正した甲高い声がさらに鋭い口調に聞こえる。

「マスコミはよってたかって日野先生ば悪人にしよるが、私ら患者にとってはあんなよか先生はおらんよ。警察はこげな女性から私が腎臓をもらったと思うとるらしいが、私が移植を受けたのは、たまたま腎臓にがんが見つかって、摘出した腎臓を移植してもいいとその患者が納得してくれたので、私はその腎臓をもらった。日野先生から聞いたんはそれだけたい。そげな女性は知らん」

映像はここで終わり女性キャスターが解説を始めた。

「一方、日野先生は、私たちの取材に対してドナーは男性で、生体移植と説明しています。レシピエントはドナーについてはまったく知らされておらず、レストア・キッドニの移植を受けたと主張しています。井上先生はこの映像を見られてどう思いますか」

「日野先生の証言とレシピエントの証言は明らかに食い違っていますね。もう一例、不透明なレストア・キッドニ移植が行われていたということなのでしょうか……」

「実は日野医師は暴力団関係者との黒いつながりを指摘する声もあり、富士吉田署は樹海の遺体と聖徳会日野病院との関係について慎重に捜査を進めています。当番組も引き続き、移植問題に関心を寄せて行きたいと思っています」

番組が終わると直井が患者用のベンチに腰が砕けたように座った。「日野先生、どうします」

　聞かれても日野にもどうしていいのかわからなかった。明日から臓器売買が発覚した頃のように大騒ぎになるだろうと思った。

第七章　不確かな立証

共健製薬の営業マンだった船橋甫は年明け早々に辞表を出して上海に来た。上司から慰留されたが、これ以上働く気にもなれずに新年から出社しなかった。

独身の気軽さで、しばらくは世界中を旅行するつもりで日本を出国した。退職金だけでは不足するが、船橋にはアジアで新ビジネスを立ち上げるためのスポンサーが付いている。上海の次はマニラで暮らしてみるつもりだったが、スポンサーの頼みでいまだに上海に滞在させられている。

インターコンチネンタル・プードン上海ホテルで暮らすようになって三ヶ月が経とうとしていた。

上海に来て間もなく小学生のような文字で「赤坂」と書かれた店に入った。紹介してくれたのは並川順造だ。並川は上原宗助議員の娘婿で、有名タレント、文化人をかかえる芸能プロダクションの代表取締役社長だ。しかし、それは表の顔で、別会社を設けてアジアからホステスを呼び寄せるプロダクションも経営している。

テーブルに着くと同時に、四、五十人のホステスが集まってきて船橋を囲んだ。ほとんどのホステスが原色のチャイナドレスを着ていた。彼女たちは媚びを売り、からませるような視線を送ってきた。「赤坂」という看板を掲げるだけあってホステスは多少の日本語を話せた。

船橋は緑のチャイナドレスを着て、他の女性より明らかに年が上とわかる肌の少し黒い女性を呼んだ。他の女性の顔からは営業的な微笑みが一瞬にして消えた。彼女は楊麗と名乗った。二十七歳と言ったが、実際には三十代半ばくらいだ。楊麗を呼んだのは、他のホステスよりもましな日本語を話していたからだ。

「上海よりみんな日本で働きたがっている。日本に行けば金、たくさん手に入れることできる」

楊麗は日本で働くチャンスを見つけるために上海に出てきていた。船橋は最初に「赤坂」を訪れた夜から、楊麗をホテルに連れ込んだ。インターコンチネンタル・プードン上海ホテルは五つ星のホテルだが、ドアボーイにチップを少し弾めば、それくらいの融通は利いた。楊麗との関係はあの日から続いている。昨晩も「赤坂」で浴びるように酒を飲み、楊麗を連れてホテルに戻った。

エアコンが快適な温度を保っているせいか楊麗は静かな寝息を立てて眠っている。カーテンの隙間から板ガラスのような光が差し込んでいる。

船橋はシーツを蹴り上げて起きると、ソファの上に掛かっているバスローブを羽織り、カーテンを開けた。窓の外には鏡の破片を空からばら撒いたような日差しが照りつけている。

顔を洗い、ドアノブに掛けられている新聞を取ってベッドに戻った。朝日と読売の二紙は部屋に届けるようにフロントに伝えてある。朝刊が配達されてくるのはいつも昼前だ。まだ楊麗は眠っていた。

「いつまで寝ているんだ」

船橋は強引に楊麗をベッドの隅に押しやり、胡坐をかきながら新聞をベッドの上に広げた。熊本県A市で起きているレストア・キッドニ移植の関連記事に目が行く。

『聖徳会日野病院　新たな生体移植疑惑』

こんな見出しに思わず吸い込まれるようにして活字を追った。

年末のテレビ特番で放映された青木ヶ原樹海の女性遺体からは左側の腎臓が摘出されていた。身元はいまだに判明していないが、腎臓を摘出したのは聖徳会病院の日野医師と言わんばかりの報道振りだ。

レシピエントにも取材陣は殺到しているようで、コメントも記載されていた。

「日野先生からは小さながんがあって摘出した腎臓だが、それを除去したレストア・キッドニを移植したと聞いています」

レシピエントのコメントが日野医師への疑惑というより非難に拍車をかけていた。

日野医師はカルテの紛失を理由に一切の事実を明らかにしていない。ドナーは遺体の女性の可能性もあると二紙とも報じていた。

「テレビも新聞もすごいもんだ」

船橋は感電したようにベッドから起き上がり、机の上の電話機を取った。相手の携帯電話のナンバーディスプレイには「表示圏外」と記され、船橋からの国際電話だとわかるはずだ。相手はすぐに出た。

「いま診察中なので、後でかけ直してください」

事務的な声で返事があった。

「そんなことを俺に言っていていいのかよ」

「お急ぎなら、少々お待ちください」

慌てている様子が受話器から伝わってくる。日本との時差は一時間、午前中の外来患者の診察に追われている頃だ。少し間があってから相手の声がした。

「この時間帯はいちばん忙しいのは君も知っているだろう。電話はしないでくれ」

場所を変えたためか、相手は部下を叱責する上司の口調だ。

「日本の新聞はその日に配達されるんで読んでます。闇で腎臓を売買するヤツも出てきましたね。大田先生の先見性には頭が下がりますよ」

相手は無言になった。

「例の計画を早く進めてくれよ。上海の見通しを立ててマニラに移動したいんだ。移植ビジネスはあんたが立案計画したことだぜ」

「それで用件は」

「活動資金がそろそろ底を突く。俺が上海に来たんだって、あんたの都合なんだ。このまま帰国したってかまわないぜ」

「わかった」

相手が慌てふためいているのが船橋には手に取るようにわかった。返事を聞くと同時に電話を切った。

医者ほどプライドの高い人間はいないと思う。プライドというより虚栄心と言った方が適切かもしれない。明昭医大を卒業したが、国家試験には合格しなかったという理由で船橋は家を追われた。船橋家の体面を汚したと勘当された。しかし、医者の心理がわかるから、逆に医者を手玉に取るくらいは容易いことだ。

「ビジネスの話は終わったの?」

シーツを首のところまで手繰り上げていた楊麗が聞いた。

楊麗とのセックスにもあきてきた。そろそろ新しい女に替えるつもりだ。新たなビジネスを上海で展開するための通訳は、中国の大学を卒業した優秀なスタッフを揃えなければならない。

しかし、貧困層の出身でなおかつ多少の日本語が話せる楊麗のような女も必要になる。船橋は楊麗をまだ手元においておくつもりだ。そのくらいの資金はどうにでもなる。

厚労省の調査団が引き揚げてから何週間も経つのに、いまだに調査報告が発表されなかった。その間に苛立ちをぶつけるかのように樹海の遺体と日野医師を結び付ける報道が、破れた水道管から噴き出る水のように流れていた。毎日どこかのテレビ局か週刊誌で取り上げられたが、日野だけではなく直井や他の職員も感覚が麻痺してしまったのか、日常の業務は何の支障もなく進められていた。

厚労省の奥村局長はマスコミから事実関係の説明を求められ、経過も含め六学会として調査結果を近々発表すると定例の記者会見で表明していた。しかし、どうしたわけか、発表は遅れるばかりだった。その理由が少しずつマスコミに漏れてきた。六学会の足並みが乱れ始めていたのだ。

日本移植学会、日本透析医学会、日本泌尿器科学会、日本臨床腎移植学会の四学会は、調査の途中で「現時点ではレストア・キッドニ移植に医学的妥当性がない」「原則禁止すべきだ」と、それぞれが見解をマスコミに発表していた。

こうした流れに日本病理学会、日本腎臓学会の両学会だけは合同調査委員会の結果ありきの姿勢にそれぞれの立場から疑問を呈し、慎重な調査を継続した上で結論を出すべきだと、合同調査委員会の拙速を批判するようになった。

マスコミ側もレストア・キッドニの移植については、奥村局長が統括する健康局臓器移植対策室を通して流れてくる情報に頼りきっていたが、しだいに欧米の腎臓移植手術の実態を調査報道するようになった。それが記事にされた。

オーストラリアでは過去十年の間に、聖徳会病院のようにレストア・キッドニを移植に用いた手術は四十三件報告されていた。ただしオーストラリアの場合、レストア・キッドニの移植を受けられるのは六十歳以上の患者だけに限られていた。移植手術を受けるまでの期間は四、五年で、オーストラリアでも透析患者は年々増加し、それにともない待機期間も長くなっていた。

移植を希望する透析患者の一六パーセントが死亡し、六十歳以上になるとそれが二五パーセントに達する。原因は透析による合併症がほとんどだ。一方、四センチ以下のがんが発見され、がん組織を取り除いたレストア・キッドニの移植を受けた場合、がんの再発率は五パーセント、転移率二・五パーセントという数字も出されている。

そもそも四十三件のケースからがんの再発率を計算しても医学的に意味があるのかという批判はあるものの、藁にもすがる気持ちでいる透析患者にしてみれば、五パーセントの再発率と年間二五パーセントの死亡リスク、どちらを選択するのか決断を迫られる。

これまでに行われた移植手術で、レストア・キッドニを摘出にまで至ったケースはゼロで、生着率は一年間が九七パーセント、五年間が八五パーセント、十年間が七五パーセントで、通常の死体腎移植よりやや上回る結果をオーストラリアでは出していた。

患者は透析を受けながら制約された人生を選ぶのか、あるいは五パーセントのがん再発率のリスクを背負いながらレストア・キッドニの移植を受けるのか。その選択は患者本人に委ねられていた。

「やはり同じことを考える医師はおったんだ」

レストア・キッドニ移植に踏み切った医師が、他にもいたことに勇気づけられた。日野のレストア・キッドニ移植に海外のメディアも注目し、報道していたらしく、日野のところにW大学医学部時代の仲間から電話が入った。友人は移植医で大学に残り教鞭を執っていた。彼はアメリカの腎臓移植学会で発表できる機会を設けるから、これまでの成果を公表するように助言してくれた。

それを知った直井が言った。

「行ってきてください。泌尿器科の方は私と院長先生でなんとかします。他の内科医も協力してくれるはずです。事実がわかれば、流れは変えられると思います」

日野自身もこのままマスコミ報道を許していれば、さらに事態は悪化していくだけだと感じていた。ただ闇雲にレストア・キッドニ移植は医学的根拠がないと排撃されるのを黙視していれば、救える患者も救えなくなってしまう。

その準備に取りかかろうとしていた矢先だ。アメリカの友人から電話が入った。「アメリカの移植学会が招待し発表の機会を与えるとしていたのに、どうやら厚労省と日本の移植学会のドクター井上が待ったをかけたようだ」

翌日の新聞で日野はおおよその経緯を知った。

「聖徳会日野病院の移植は、インフォームドコンセントに不備があり、移植前のドナーに対する検査も不十分、移植後のレシピエントの継続的検査にも問題が見られ、日本移植学会は日野医師の今回予定されている発表は不適切と考える」

こうしたメッセージをアメリカ移植学会に送付したことを明らかにした。

「どこまでやればあいつらは気がすむんだ。患者の命がかかっているのに……」直井が腹立ちまぎれに言った。

しかし、バッシングが加速する一方で、新たな動きも出てきた。日野医師によって移植手術を受けた患者、その家族、移植を待つ透析患者たちが厚労省、井上らの新聞に掲載されたコメントに抗議の声を上げげた。臓器売買から日野バッシングにつながる一連の報道に、患者たちを中心に「レストア・キッドニ移植への理解を求める会」を立ち上げ、抗議声明を発表したのだ。

〈レストア・キッドニ移植は、一向に進まない日本の腎移植医療を推進するチャンスであるにもかかわらず、なんら対案を検討することもなく、これを自らの手でつぶそうとしている学会関係者は、医師としての良識を投げ捨てたとしか言いようがありません。また、一人でも多くの患者を救おうと、ぎりぎりの選択でレストア・キッドニ移植を進めてきた日野先生とそのグループの先生方の医療行為に対して手続き上の問題のみをあげつらい、その医療としての有効性を評価・検討しないことも、医学者として恥ずべき態度というべきです。

私たち患者は、「ルール、ルール」と言うだけで何もしない医師よりも、患者と真剣に向き合い、患者の治療に全力を尽くしてくれる日野先生を選びます。腎不全患者には医療の選択肢の一つとして、腎移植を受ける権利があるはずです。その権利を遂行できるように、国も学会も努力する義務があります。学会関係者は謙虚に反省し、再検討するよう強く求めます〉

「レストア・キッドニ移植への理解を求める会」の報道は一段記事で、扱いは小さかったが、日野にとっては焦燥と緊張のもつれた糸が少し解けたような安堵感を覚えた。

合同調査委員会の調査が終了すると、さらに事態は複雑化した。井上理事長に引きずられるようにして四学会は足並みを揃えたが、日本病理学会、日本腎臓学会は「レストア・キッドニ移植という実験的な医療が医学的・倫理的観点の検討なしに閉鎖的環境で行われたことは厳しく非難されるべき」とする共同声明に異論を唱えて、声明に名を連ねるのを拒否してしまった。

日本病理学会を代表して参加していた津久見医師が反論したのは、合同調査委員会が「四センチ以下の小さな腎細胞がんや良性腫瘍は、部分切除が標準手術であるため、全摘すべきではない」という前提に立っていたことだ。

「小さいがんでも腎全摘を経験している病理医としては納得できない」

津久見は一般論ではなく、H県内の中核を担う大学病院を含む十四の病院に協力を求め腎細胞がんの実態を詳細に調査していた。これらの結果から推定すると、日本全国で腎臓がんを部分切除で治療している症例は一割以下と結論を下していた。つまり九割前後の腎細胞がん患者は、がんが発見された方の腎臓を摘出していることになる。

H県内で毎年百五十例の腎細胞がんの手術が行われている。人口比から推測すると、全国で毎年六千六百六十例の腎細胞がんが手術されていることになる。腫瘍径が四センチ以下のものは四八・二パーセントで三千二百十例。そのうち全摘された腎臓の中で、レストア・キッドニ移植に使用可能な症例は、H県の分析結果から推測すると、理論上二千六百六十四例にのぼる。

そのうち半数が移植に使用されたとしても、千個以上のドナー腎となる。

またH県の尿管がん手術例は毎年五十例なので、全国推計では二千二百二十例が腎全摘される。このうち一割が移植に使えるとすれば、二百例あまりとなる。

津久見はレストア・キッドニ移植は毎年千二百例程度可能という決断を下した。

また十分に機能する腎臓ならがんの病巣を取り除いた後、再び患者に戻す自家移植を行うべきだとする主張にも、津久見は手厳しい批判を加えた。

「そのような手術の事例をみたことがない」

津久見は合同調査委員会の声明に同意しなかった理由を明確にした。さらに日野のレストア・キッドニ移植を詳細に分析し、その結果も生体腎移植、死体腎移植と比較しながらレストア・キッドニの成果を公表した。

生体腎移植（八九七九例）、死体腎移植（三三七二例）、レストア・キッドニ移植（四二例）のレシピエントの生存率は以下の通りになる。

1年生存率　―生体95％　：死体91％　：レストア・キッドニ92・5％
5年生存率　―生体90％　：死体84％　：レストア・キッドニ78・9％
10年生存率　―生体84％　：死体77％　：レストア・キッドニ62・5％

生着率は以下の通り。

1年生着率　―生体90・2％　：死体78・9％　：レストア・キッドニ77・8％
5年生着率　―生体75・3％　：死体60・6％　：レストア・キッドニ50・4％
10年生着率　―生体57・5％　：死体44・5％　：レストア・キッドニ39・7％

生存率に関してはレストア・キッドニ移植と死体腎とそれほどの差はない。生着率については、死体腎より低くなっている。しかし、津久見医師はこう分析した。

生体腎ではドナーの約七五パーセント、死体腎約八〇パーセントが五十九歳以下だ。これに対してレストア・キッドニはドナーの約七五パーセントが六十歳以上、さらに七十歳以上が全体の半数近くを占めている。

七十歳以上のドナー腎臓で生着率を比較分析すると、生体と死体の中間にレストア・キッドニの生着率が位置する結果になる。

「ドナーの年齢差を考慮すると、レストア・キッドニ移植の成績は死体腎の成績と遜色がない」と結論付けていた。

しかし、マスコミは樹海の遺体報道もあるせいか、多くは調査委員会発表に傾き、津久見医師の見解はほとんどのマスコミに無視された。

調査にあたった四委員は厚労省を訪れて、奥村局長に報告書を手渡した。これを受けて厚労省は日野医師が想像もしていなかった方針を打ち出した。

「聖徳会日野病院で行われてきた実験的医療に、保険を無秩序に適用していいものかという議論が出ています。レストア・キッドニ移植を保険適用外にする処置も含めて検討しています」

事実上、日野医師からメスを取り上げる処置だった。こうした報道に、移植に望みを託している患者は脅えた。診察に当たっていても、透析ルームで患者と会っても、その表情には不安が広がっていた。

高倉治子はこのまま死の底に引きずり込まれていくような顔をしていた。付き添っている裕美は、日野を見るなり食って掛かってきた。

「厚労省は血も涙もなか。移植が保険適用から外されれば、私らみたいな貧乏人は手術なんか受けることはできんことになる。ママに死ねと言うとるのと同じでしょう、先生」

移植医療が保険適用外になれば、レストア・キッドニがあっても手術を受けられるレシピエントはいなくなる。

「裕美、日野先生にそげんこつ言うても、先生が悪かわけじゃなか」力なく治子が言った。

日野も裕美に返す言葉が見つからなかった。

治子の移植を急がなければならないが、今の日野は手足を一本一本もがれていくような状況だった。レストア・キッドニ移植を強行すれば、その余波は計り知れないものになる。形成されてしまった世論を背景に、聖徳会日野病院は保険医指定の資格を剥奪されることもありうるだろう。厚労省がそれくらいの圧力をかけてくるのは想像

これが田所の本音だ。

「断る」

「そんなに強がるなよ。弱小プロダクションでいくら給料もらっているんだ。情報提供してくれたら二百万現金で渡すよ」

沼崎は深呼吸して自分を落ち着かせてから言った。「マスさん一度しか言わないからよく聞けよ」

田所は満寿夫という名前から編集部では「マスさん」と呼ばれていた。しかし、そう呼ぶのは同期入社か上司だけだった。

「あんたとはもう上司でもなければ部下でもないんだ。気安く電話してもらっては困るし、あんたに情報を提供する気はまったくない。それとマスさん」

沼崎は田所を小ばかにするようにもう一度「マスさん」と呼び捨てた。

「あんたに謝ってもらおうなんて思っちゃいないよ」

「お前、そんなこと言っていると永遠に負け続けるぜ」

「あんたみたいな勝ち方をしたくないだけさ」

「そういう青臭いことを言っているから、お前には売れる雑誌が作れないんだよ」

「懲りずにまだあんなことを続けていると、あんた、いつかは身を滅ぼすよ」

一回りも年上の田所を諫めるように沼崎は言った。

「お前も利口になったもんだ。わかったよ。三百万出すよ。いや四百万円でもいい。それでどうだ」

沼崎は呆れ果て、何も答えずに電話を切ってしまった。金でどんなことでも解決できると思っている男なのだ。人の気持ちなど到底理解できないのだろう。

不快な気持ちを引き摺りながらそのまま自宅に戻る気にもなれず、新宿に出て結局深酒をする羽目になってしまった。帰宅したのは午前二時過ぎだった。着替えもせずベッドに倒れこむようにして眠ってしまった。


電話が鳴っている。沼崎は布団を頭からかぶった。二日酔いで頭が割れるように痛い。電話は鳴り止まない。布団を蹴り上げてベッドから起き出した。受話器を取ったが沼崎は無言のままだった。

「寝ていたんでしょう、恭太」

沼崎を名前で呼ぶのは大学時代の仲間だけだ。

「かけ直そうか」

電話の声は由香里だ。

「スクープとやらで浮かれているんでしょう」

由香里の声には軽い非難が込められていた。

「こんな朝早くから何だよ」

由香里の言葉に答えず用件を尋ねた。

「日野誠一郎っていうとんでもない医師がいるでしょ」

「ああ、移植マニアのあの医者のことか」

少し間があった。

「親父なのよ」

沼崎は真冬の川に放り込まれたように、一瞬にして目を覚ました。九州の田舎で医者をやっているとは聞いていたが、由香里の父親だとは考えてもみなかった。

「ホントかよ」

「ろくでもない親父なんだけどさ、でも、新聞記者も医学的な知識がないままに書くからあんな記事になるのよ。テレビも同じ。特にあなたの取材したニュースは憶測だけで、何の根拠もない最低の報道」

「まあ、由香里が親父さんの肩を持つ気持ちはわかるけど、いくらなんでもがん患者の腎臓移植は無茶だろう。それにドナーのカルテをなくす方が異常だし、なにか不都合な事実を隠していると思われても仕方ないだろう」

「そんなことだからあなたはだめなのよ」

いつもは穏やかな口調の由香里だが、被害者が自殺した一件以来は刺々しい。木槌で頭を叩かれているような痛みがこめかみを突き抜ける。

「朝から逆切れかよ」

沼崎も毒づいた。

「私の持っている情報を提供するから、事実を報道してよ」

「週刊ダイジェストがあるだろう。田所編集長が情報提供しろと平気な顔で電話してきた。当然断ったけど……」

「無理よ。日野バッシングの先頭を走るような記事を垂れ流しているんだから」

「同じ報道をしているって今言ったばかりなのに、どうしてそんなことを俺に振るんだ」

「あの時と同じ間違いをしているからよ」

嘔吐寸前で胃液が喉まで逆流してきた。生唾を飲み込みながら聞いた。「いつなら時間が取れるんだ」

「今日の夜にでも。待ち合わせ場所は後で携帯電話で知らせるわ」

受話器を置くと、トイレに駆け込み、激しく嘔吐した。血の混じった胃液が便器に飛び散った。

バスタブにぬるめの湯をはった。プラスチック製の大きめのコップに氷を満たし、一リットル入りのスポーツドリンクを持って湯船につかった。胃には何も入っていない。コップにスポーツドリンクを注ぎ、一気に胃に流し込んだ。

あの日のことを思い出すと、嘔吐感がさらにひどくなった。バスタブに静かに腰までつかった。すぐにじっとりとした汗が流れ出す。冷たさが心地よくスポーツドリンクを受け付けた胃だが、体が温まってくるにつれてスポーツドリンクが胃から逆流してくる。バスタブにつかったまま、胃液と血の混じったスポーツドリンクを浴室のタイルにすべて吐き出した。

まだ氷がたっぷり残ったコップにスポーツドリンクを注ぎ、二杯目を飲みほした。そしてまた吐く。こんなことを繰り返しながら一時間ほどぬるま湯につかり、アルコールを抜くのが沼崎の二日酔い解消法だ。それでもいつもの調子に戻るのは午後になってからだった。

由香里は待ち合わせ場所に新宿伊勢丹会館の中にある「酔心」を指定してきた。広島に本店がある店で、瀬戸内海の魚を食べさせる店として知られていた。由香里は海辺の町で育ったことから、東京の魚はまずいと自分の気に入った店でしか口にしなかった。

沼崎が店に着くと、由香里はすでにビールを飲んでいた。由香里の前に座ると、挨拶もせずに「俺にもビール」と和服姿の仲居に注文した。由香里は勝手に刺身やてんぷらを注文したが、実は沼崎が好みそうなものを選んで仲居に告げていた。二年ぶりに会ったというのに由香里はいきなり本題を切り出した。

「親父が腎移植手術を多く手がけたのも事実、レストア・キッドニを用いたのも事実。だけど金儲けで移植を行い、裏で金をもらっていたというのは単なる風評で事実なんかではないわ」

「でも火のない所に煙は立たずっていうだろう」

由香里が少し悲しそうな顔をした。

「金にまつわる話はすべて根拠がないってことよ。それに両親が離婚したのも、父があまりにも金に無頓着すぎるから」

由香里は自分の高校、大学時代の家計について思い出を語った。

「だからといって裏金を受け取っていないという証拠にはならない」

「親父が学会の方針などをまったく無視して無邪気に移植を進めてきたことは認める。ただし、金にも名誉にも関心なんかない。それだけは私が保証するわ」

どう答えていいのか、沼崎にはわからなかった。黙り込んでしまった沼崎に由香里は苛立ち始めた。

「金の件はその通りだとしてもカルテを紛失したのは事実なんだろう。それなら杜撰な医療体制が問題にされても仕方ないし、ドナーを明らかにしないのだから、樹海の遺体がもしかしたらドナーかも知れないと、それは憶測かも知れないが報道する価値はあるだろう。それにレシピエントの証言とも喰い違っている」

「そういう憶測で報道すれば必ず傷つく人が出るの。何度失敗すれば気がすむの。呼び出して悪かったわ」

由香里は伝票を持って席を立った。

沼崎は寝不足で充血した目で由香里を上目遣いに見た。由香里は今にも泣き出しそうな顔をしていた。まるでホームレスに身をやつした同級生を見るかのような視線だった。今の沼崎は泥沼でもがく、落ちるところまで落ちたジャーナリストのなれの果てのように見えるのかもしれない。

由香里はふて腐れて出て行ってしまった。テーブルにはまだ手つかずの料理が残っていた。食う気にもなれずに沼崎も店を出た。オブラートに包まず薬を口に含んだような不快感がずっとつきまとっていた。由香里の言葉が指に刺さった棘のように沼崎の心に引っ掛かっている。

翌朝、目を覚ますと、沼崎は由香里の携帯電話を鳴らした。相手はすぐに出た。

「昨日の話、もう一度詳しく聞かせてくれ。待ち合わせ場所は昨日と同じ、夜七時に」

約束の時間前に沼崎は「酔心」に着いた。由香里も七時前にやってきた。店に入るなり沼崎の前に無言で座った。

「昨日の続きを話してくれ」

沼崎は何もなかったような口ぶりで言った。

「あのどうしようもない親父のことはもういいわね」

由香里は上原宗助議員について語り始めた。

「私は面識はないけど、親父同士はかなり前からの知り合いなのよ」

沼崎には意外だった。それほど上原の日野医師批判は過激だった。

「親父を非難しているけど、以前上原はレストア・キッドニでもいいから娘に移植をして、透析から解放してやってほしいと頼んできたの」

沼崎はビールを飲みながら聞いていたが、ジョッキをテーブルに戻した。

「それはホントの話なのか」

「ウソを言うために、あなたに手間を取らせているわけではないわ」

今度は由香里がビールをあおった。

自分の娘ならレストア・キッドニの移植には賛成だが、他人の移植には反対をする。本音と建て前を使い分けているのだろう。だからといって日野誠一郎の行った移植手術が正しいという理由にもならない。

「うちの親父は融通がまったく効かないの。そんなことできるわけがなかの一言で断ってしまった。あれでも親父なりに移植の優先順位があって、余命が限られた患者や絶対に家族や親戚からの臓器提供のあてがない患者を優先させているの。知り合いだろうが議員だろうが、親父にかかったらそんなものはまったく関係ないのよ」

「その上原議員が何故激しく日野医師批判を繰り返すんだ」

「私にもわからない。それをあなたに調べてほしいの」

雲を掴むような話に沼崎は沈黙した。由香里も気持ちが沈んでいくのか、ビールをあおり、意を決したように続けた。

「もう一人、透析学会に身を置いてレストア・キッドニの移植を非難している大田医師だけど、これも実は曲者なのよ」

沼崎には由香里が何を言おうとしているのか、靄のかかった山中を歩いているようで理解できなかった。訝る沼崎に厳しい視線を送りながら由香里が続けた。

「上原議員の選挙区はY市、大田が後援会長を務めているし、上原議員のおかげでいろいろ利益を得ている人間がたくさんいるっていうわけ」

「大田がもっている票が上原を支えているということか」

「その通り。それに上原は厚生労働省の黒幕、あなたも知っている通り様々な噂が絶えなかった」

「上原と大田は持ちつ持たれつの関係らしいが、それと今回の腎臓移植手術がどう結びつくんだ」

由香里の話は相変わらず曇りガラス越しに外の景色を眺めているようで、なかなか把握しにくい。おぼつかない表情を浮かべる沼崎の心を察したのか由香里が言った。

「上原にしても井上理事長にしても移植推進派なの。親父への攻撃は度を超えているわよ」

「由香里自身はどう考えているんだ」

「さっぱりわからないからあなたに取材してほしいって頼んでいるのよ」

どう答えていいのかわからずにビールを飲んでごまかすしかなかった。歯切れの悪い沼崎に、容赦ない言葉が返ってくる。

「火のない所に煙を立てるのが恭太の仕事でしょ」

由香里の毒を含んだ言葉に沼崎はグラスをテーブルに戻した。

「それともう一点、あなたがスクープだと思い込んでいるあの誤報ニュースの件だけど……」

「勝手に誤報って決めつけるな。俺はあくまであの遺体がドナーの可能性もあるって報道しただけだ」

「そんな中途半端な気持ちで確証もないのに報道するから大きなミスを犯すの。聖徳会も親父も大迷惑よ。いくら弁解したって世間のほとんどの人が、親父があの遺体から腎臓を奪ったと思っているわよ」

「だったらカルテを出して、あるいはドナーを出して、違うと反論すればいいだけの話だろうが」

沼崎の言葉も次第に怒りを帯びてきた。

「そんな大きな声を出さなくても聞こえるわ」

由香里はカバンから折り畳まれたコピーを取り出し、沼崎の胸元に突き出した。

「紛失したドナーのカルテ」

沼崎はグラスをテーブルの隅に置いてコピーに目を通した。

「今は個人情報保護法とかなんとか言って、拒んでいられるけど万が一にでも強制捜査に入られて、このカルテが押収されるのを恐れたのだろうと思う」

「そこまでして何故隠す必要があるんだ」

「わからない、私にも」

カルテの名前は鳥羽博之。沼崎の表情は一瞬にして厳しいものに変わった。

「ドナーとレシピエントとの関係は不明だけど、芳賀美津子との適合性に問題はなく、美津子に移植された事実が記されているわ」

「鳥羽は元暴力団で殺人を犯している。美津子の父親だ」

「それホントなの」由香里が信じられないといった様子で言った。

沼崎は久留米市の老人から取材した情報を伝えた。由香里はグラスを握り締めたまま黙り込んでしまった。

「それにしても、どうしてこんなものを俺に見せるんだよ」沼崎は石でも投げつけるように言った。

その言葉に由香里は沈黙した。

「訂正報道でもしろというのか」

「こんなに大騒ぎにしておいて訂正したって後の祭りだっていうのはわかっているでしょう。それよりも事実を報道して。あんな間違いは二度としないといって退社したんじゃないの。コピーを見せた理由？　教えてあげるわ。もう一度あなたに惚れなおしたいからよ」

沼崎には返す言葉がなかった。

「ジャーナリズムと言っても、売れなければ仕方ない。だからコマーシャリズムと私たちは無縁でいられるわけではないよ。それは私にだってわかるよ。でもさ、売らんがために、憶測や事実でないことを報道すれば、それこそ自分で自分の首を絞めるようなもの。事実なんて意外と足元に転がっているものかもしれないけど、地べたに這いつくばって手探りで探さないと、直ぐ側にあっても地平線の遥か向こうにあるのと同じことだと思わない」

由香里と視線を合わせることができずに、沼崎はうつろな目でコピーを見つめていた。由香里はそれを強引に奪い取ると、細かく引き千切り、仲居を呼んで捨てるように頼んだ。

由香里の主張は正論だと思う。しかし、時として正論ほど無力なものはない。特に今の沼崎にはそう感じられた。弱小プロダクションに正当なジャーナリズム報道ができるわけがない。田所がほくそ笑んでいる姿が目に浮かんだ。

沼崎はため息を大きく一つついてから聞いた。

「上原の娘っていうのは熊本にいるのか」

「私もよく知らないわ。東京の男性と結婚したとは聞いているけど」

沼崎は上原の娘について調べてみようと思った。


仲のいい厚労省詰めの新聞記者に上原宗助の娘について調べてもらった。上原の子供は長女良子だけで、若い頃から健康に問題を抱え、政界にはまったく興味がなく、芸能プロダクションを経営する並川順造と結婚しているということだった。沼崎は直接良子に会ってみようと思った。取材は断られるかもしれないが、とにかく当たってみることだ。

ＪＲ吉祥寺駅で降りて井之頭公園に向かった。すでに桜は散り、柔らかい緑の若葉を広げ、春の穏やかな日差しが公園内の池を照らしている。池には若いカップルが乗った手漕ぎのボートが浮かんでいる。

橋を渡ると杉木立が広がり、それを突っ切るように進むと住宅街につながる。その中でも一際瀟洒《しょうしゃ》な家が並川の家だった。

「クリエイティブ・イフプロの沼崎と言います」

「あらっ」という軽い驚きの声と同時に、「今行きます」という声がインターホンから聞こえてきた。玄関の扉が開き、良子と思われる女性が小走りに門までやってきて、門扉を開いた。とても透析を受けている患者には見えなかった。

「あの樹海の女性遺体を発見したテレビ局の方ですよね」

「ご覧になっていただけたのですか」

良子が沼崎の名前を覚えているのが意外だった。

「私、ドラマとかではなくああしたドキュメンタリーが好きなんです」

応接室に通された沼崎は勧められるままにソファに腰を下ろした。壁には夫婦二人で並んだ姿の写真が、額に入れられ飾られていた。その横には富士山の写真もあった。

写真に目をやっていると、

「お手伝いのサトさんは写真が趣味で、二つとも彼女が撮ってくれた写真です」

と、良子が言った。

「なかなかいい写真ですね」と答えてから、沼崎は本題を切り出した。「腎臓が悪く移植を希望されているとお聞きしたものですから、お話をうかがえればと思って、突然で申し訳ありませんがお訪ねしました」

「それで私に何を聞きたいとおっしゃるのでしょうか」

良子の表情に不審というより恐れが滲んだ。

「上原議員はレストア・キッドニ移植について、聖徳会病院の日野医師を批判されていますが、実際透析を受けている実の娘の立場からはどうなのか、ご意見を聞かせてください」

「これまでに何度も生命の危機がありましたが、中国でいただいた腎臓のおかげで、今は普通の生活が送れるようになりました」

「移植は中国でされたのですか」

意外な回答に沼崎は驚きを隠せなかった。

良子は健康そのものに見える。経済的には何の不自由もないのだろう。お手伝いさんが応接室に入ってきた。

「サトさん、写真が上手ですって」

お手伝いさんは少しうれしそうに「ありがとうございます」と小さな声で答えた。

「中国での移植というのは、間に上原議員が入って、いろいろお力添えがあったということでしょうか」

「いいえ、父には父の立場がありますので、そうしたことには一切タッチしていません。誤解しないでください」

　良子は厳しい表情で答えた。

「夫がアジアにも仕事を拡大している関係で、上海とマニラで情報を集めてくれて、最終的には上海の病院で移植手術を受けました」

　良子が嘘をついているとは思えなかった。

「そうでしたか」

「海外での変則的な移植ではなく、ドナーから贈られた腎臓で移植手術が日本で受けられれば、それがいちばんいいのですが、それはとても困難。それで私は夫の勧めもあり上海で移植を受けました。確かに中国人から臓器をいただくのは問題があるというか、気が引けるというか後ろめたさはありますが、夫からはドナーの遺族に対してはできるかぎりの謝礼はしてあると聞いています」

「提供された腎臓は亡くなられた方の臓器なんですね」

「はい」

　良子の目は宙を泳いでいたが、言葉だけは明確に言い切った。

「上海大学付属大山病院の陳安博院長が手術を担当してくれました」

「いつ頃だったのでしょうか」

「今からちょうど二年前です」

沼崎が改めて良子に視線を向けた。良子の顔から血の気が失せたように、青ざめた顔に変わった。そんな気がしただけかもしれないが、良子の表情は明らかに曇った。中国での移植にあまり触れられたくないらしい。

「一つお聞きしてよろしいでしょうか」

良子が探るような目で聞いてきた。

「聖徳会病院で腎臓を提供されたドナーって、どなたなのか判明したのでしょうか。カルテっていまだに発見されていないのでしょうか。あのニュースって沼崎さんが取材されたんですか」

「いまだに出てきていないそうです。あの件については先日のテレビで放送したとおり、このまま不明のまま終わってしまう可能性もありますね」

と答えたが、沼崎自身が取材したかについては明確にしなかった。

「そうですか」

ヘリウムガスの抜けた風船のような力のこもらない返事だった。

「レシピエントの方の気持ちが私にはわかるんです。もうそっとしておいてあげた方がいいのかもしれません」

独り言のように呟いた。

沼崎は良子に礼を言って帰ろうとした。サトが玄関まできて靴ベラを沼崎に手渡した。入るときには気づかなかったが、靴箱の上にロール式の粘着テープクリーナーが置いてあった。

「犬か猫を飼っていらっしゃるんですか」沼崎が聞いた。

サトが口ごもった。代わって良子が答えた。

「もうそれほど生きられないと思った頃、精神的に追い詰められ潔癖症になってしまって、夫でも外から戻ってくるときにはこれで衣服に付いたゴミを取ってもらっていました。でももう大分治りました」

沼崎は家を出ると、井之頭公園の木陰に入り携帯電話を取り出し、クリエイティブ・イフプロの野呂に電話を入れた。

「上海に行ってくる。取材費を使わせてもらうよ」

「何の取材？」

「もちろんレストア・キッドニの続報だよ」

「エッ、何故福岡から上海に広がるの……」

「帰ってきてから説明する」

こう言って沼崎は電話を一方的に切ってしまった。

第九章　移植王国

沼崎は自宅の近くにある印刷屋で名刺を作らせた。沼崎恭太の名前はテレビで放送されているので避けて今野達也にし、会社名は鶴巻総業、肩書きは営業部長にしておいた。

成田空港から会社に連絡を入れて、国際電話で「鶴巻総業　今野達也」のことを聞かれたら営業部長で通し、上海へ私用で旅行中と答えるように指示を出しておいた。

イフプロが上海で取材をする時に使う現地の通訳、コーディネーターの名前と電話番号をすぐに調べさせ、ノートにメモした。英語圏内の取材は専門的な取材でない限りは可能だだが、中国語に関してはまったく知識がない。

上海までは二時間の空の旅だった。

入国手続きを済ませ、虹橋空港を出ると、気候はほとんど東京と変わらないような気がした。タクシーを拾うと、日本人観光客が多く宿泊するサンワンホテルに向かった。

高層ビルが建ち並ぶ近代都市で、地方から上海に一攫千金を夢見て移住してくる者が跡を絶たないのもわかる気がする。有り余る資金を投入して建設したような豪奢なマンションやビルがあるかと思えば、その谷間には戦前のものではないかと思われる二階建ての長屋のような住宅がひしめいている地区もあった。

ホテルは市内の中心部にあった。沼崎はチェックインするとボストンバッグを部屋の隅に放り投げ冷蔵庫からビールを取り出して、プルトップを引いた。ビールを喉に流し込みながら、イフプロから紹介されたことにして通訳の馬志文の携帯電話に連絡を入れた。馬はイフプロと同じギャラなら通訳を引き受けると答えた。沼崎は二日間の通訳を依頼した。

明日からの取材について考えた。最初に陳安博院長と会うつもりだ。一筋縄ではいかないだろう。どのようなルートで移植が可能になったかわからないが、上原の長女、並川良子は上海で移植を受けていた。上海で移植を受けたらどれくらいの費用がかかるのか。そのルートを解明するだけでも衝撃的なニュースにはなる。

海外での移植は道義的な問題もあり、賛成できないとコメントしてきた上原議員の二枚舌も厳しく批判されるべきだ。またレストア・キッドニ移植に激しく反対し、日野医師を非難している。しかし、日野医師にはレストア・キッドニでもいいから娘に移植をしてほしいと依頼し、日野に断られている。こうした事実を明らかにすれば、腎臓移植問題がいかに深刻なものなのかを浮き彫りにすることができる。胡散臭い田所の鼻を明かすことができると思うと、愉快だった。

日本からは小型の隠し撮り用のビデオを持ってきた。それをショルダーバッグに仕込んだ。

ホテルの部屋に備え付けられている便箋に、妻が腎臓移植を希望していること、そして妻の友人を介して並川良子が陳安博院長の執刀によって移植手術を受けたことを知ったと英語で記した。

多忙だとは思うが、妻の移植手術について相談に乗っていただきたいというメッセージとホテルの部屋番号と名前を書き込み、成田空港で両替した百ドル紙幣五枚を封筒に入れ、封をした。

ベッドに入ったが緊張しているせいか、なかなか眠りにつくことはできなかった。


翌朝、今野達也の名刺を財布に数枚しまいこみ、夏用のスーツにネクタイを締め、いかにも日本のビジネスマンらしい格好をして約束の時間にロビーに降りた。成田空港で買ったサントリーのウィスキー「山崎」を紙袋に入れてロビーを歩いていると、大学ノートを片手に持った男が話しかけてきた。

「今野さんですね」

通訳の馬志文だった。

上海に来た目的は、上海大学付属大山病院で陳安博医師の治療を妻に受けさせるためだと沼崎は説明した。

「今回は直接陳医師にお会いして、どうしたら妻が上海で治療が受けられるか、それを確かめに来ました」

沼崎は本当の目的を馬志文には伝えなかった。

「奥様はどこが悪いのですか」

「原因不明なんですが、日ごとに症状は悪化しています」

沼崎が答えた。

ホテルのアプローチで客待ちしていたタクシーに二人は早速乗り込んだ。上海大学付属大山病院はホテルの近くで、十分もしないで着いてしまった。

病院は新旧二つのビルで構成され、旧館は歴史を感じさせるレンガ造りの五階建てだった。その背後に十二階建てのビルが建っていた。旧館の入口掲示板には医師の名前が記され、「院長　陳安博」と記されていた。

沼崎は受付で、「陳安博院長に会いたくて日本から来た」とだけ馬志文に通訳させた。受付の返事を馬志文が素早く通訳する。

「ご用件は」と受付の女性が愛想のない口調で尋ねた。

「それは院長に直接お話しします」

馬志文に言わせた。

そんなやりとりをしていると、受付は電話で院長に連絡を取っている様子だった。しばらくすると、二十代後半の女性が受付にやってきた。

「院長は会議その他でスケジュールがいっぱいで、せっかく日本からこられたのに残念ですが、今日はとてもお会いしている時間はありません」

女性が馬志文に説明した。馬志文はそれを沼崎に伝え、

「彼女は陳安博院長の秘書です」

と、付け加えた。

沼崎は来意を通訳させ、手紙と名刺、日本から持参したウィスキーを院長に渡してもらうように頼んだ。

「陳院長は英語での会話が可能かどうか聞いてくれ」

馬志文が通訳すると、秘書は流暢な英語で返してきた。

「陳院長は英語はもちろんですが、日本語の会話も堪能でいらっしゃいます」

「是非、陳院長に会えるように取り計らってください」

沼崎も英語で答えた。

ホテルに戻り、馬志文に二日分のギャラを渡して別れた。

翌日、病院に電話をすると、三度目の電話でようやく秘書につながった。

「診察が終わる五時に病院に来ていただけますか」

秘書が言った。

午後五時過ぎからなら時間が取れるらしい。並川良子の名前が効いたのか、あるいは現金なのかウィスキーなのか。とにかく陳安博院長に会える手はずは整った。

旧館にあった受付で、「今野達也だが、五時に陳安博院長と会う約束になっている」と英語で告げると、受付は内線電話で、院長に確認を取った。

「ミスター今野、このまま真っ直ぐ進んで旧館を通り抜けてもらうと新館の玄関に出ます。院長室は十二階にあります」

受付の対応は丁重そのものだった。エレベーターで最上階に上がると、エレベーターホールには院長専用の受付があった。昨日の若い秘書が待っていた。

「どうぞこちらへ」

院長室は一番奥まった部屋だった。五十歳前後と思われる陳安博院長は、窓際に置かれた机で書類に目を通し、顔を上げようともせずにソファに座るように勧めた。

沼崎はソファの端に座った。陳院長は椅子から立ち上がり、沼崎の正面のソファに腰を沈めた。沼崎は名刺を取り出しながら、ショルダーバッグを左横に置いた。カバンに開けられた小さな穴から陳院長の映像は撮影されているはずだ。沼崎は「今野達也」の名刺をセンターテーブルに差し出した。

「日本語がお上手だとお聞きしました。日本語で話してもよろしいでしょうか」

陳院長は名刺を受け取りながら、「どうぞ、今野さん」と言った。

「手紙でお伝えした通り、妻が人工透析を受けています。二年ほど前にこちらで移植手術を受けた並川良子さんと私の妻に共通の友人がいて、こちらで腎臓の移植を受けたとお聞きしました。どうしたら移植が受けられるのか、どれくらいの費用と待機期間が必要なのか、具体的なお話を聞きたくてやってきました」

手紙にも書いたが改めて並川良子の名前を出すと、陳院長の固く強張った顔から緊張感が消え、旧知の知人に再会したような安堵感が滲み出た。

「そうでしたか。わかりました。確かにこちらの病院で移植手術は行いました」

「並川良子さんの父親はご存じの通り、現職の国会議員で中国政府にもいろんな人脈をお持ちだと思いますが、私は小さな会社の営業部長でしかありません。幸いにも妻の実家が熊本県の資産家で、手術にかかる費用は心配しなくていいと実家から援助してもらえることになっています」

「ここでそういった具体的なお話は差し控えさせてください。費用に問題がなくても、中国国内には、日本人に臓器を提供することに批判的な勢力がないわけではありません。当病院としては、日本人の移植については海外移植コーディネーターの船橋甫氏に一任しています。彼の連絡先をお教えするので、船橋氏に直接相談されることをお勧めします」

陳院長は机に戻ると、メモ用紙に船橋甫と記し、携帯電話の番号を書いて沼崎に渡した。

「この方はどんなことをされるのでしょうか。海外移植コーディネーターというのは初めて聞くのですが……。上海にずっと滞在されているのでしょうか」

「日本と上海を行ったり来たりしていますが、上海にいる時はいつもインターコンチネンタル・プードン上海に宿泊しています。今はこちらに滞在しているはずですよ」

「わかりました。早速連絡してみます」

「私の方からも、彼に一言伝えておきます」

「妻の名前は今野礼子といいます。もしお話が具体化したら何卒よろしくお願いします」

沼崎はこう言い残して院長室を出た。

帰りはタクシーの運転手にプードン上海ホテルの近くを走ってもらった。プードン上海ホテルは空を突き刺すように建つ二十四階建ての高層ビルで、沼崎が宿泊しているホテルとは格が違っていた。

サンワンホテルに戻り、早速撮影した映像を確認した。思い通りの映像が撮れていた。次は船橋甫の取材だが、海外移植コーディネーターとは初めて聞く職種だ。どんな仕事なのか沼崎には見当がつかなかった。

陳院長からもらったメモを取り出して電話を入れた。船橋はすぐに出た。

「今野と言いますが、船橋さんですね」

「陳院長から聞きました。奥さんが移植を受けたいんですって」

「ええ、ご相談にのってもらえますか」

「もちろんです。どちらにお泊まりですか」

沼崎はサンワンホテルと告げた。

「わかりました。今、仕事で立て込んでいるので、都合がつき次第連絡します」

こう言って電話は切れてしまった。

その晩はホテル内のレストランで食事を早々とすませて、ベッドに横になった。

翌朝、一階のレストランでバイキングの朝食を摂った。いつ船橋から連絡が入るかわからずに、落ち着いて食べてはいられなかった。格安なパック旅行のホテルとして利用されているらしく、日本人観光客も多かった。一人で食事をしているのは、沼崎と窓際の席に座っている小太りの男と二人だけで、レストランは日本語が飛び交っていた。観光客は朝食をすませると、ホテル前に横付けされたバスに乗り、市内観光に向かった。

午前中部屋にこもって船橋の連絡を待ったが電話は鳴らなかった。

午後二時過ぎ、空腹を覚えサンドウィッチでもつまもうと一階に降りた。がらんとしたロビーで朝見かけた小太りの男とすれ違った。男はロビーの椅子に腰掛けて、長い髪を手で後ろに、何度もかき上げながら中国語の新聞を読み始めた。

レストランで食事をしている沼崎の方に時折視線を投げてきた。食事が終わると、沼崎は再び部屋に戻った。夕方五時までに電話がなければ、船橋に電話をしてみるつもりでいた。

その五時に電話が鳴った。

「連絡が遅くなり大変申し訳ありません」

営業マンが受話器を握りながら頭を下げているような調子で船橋が言った。

「いいえ、こちらこそお手数をおかけします」

「明日の午後二時にこちらのホテルに来てもらえますか」

沼崎は「わかりました」と答え、電話を置いた。

翌日、沼崎は隠しカメラも持って約束の時間に間に合うようにサンワンホテルを出た。

プードン上海ホテルのフロントで船橋甫の名前を告げると、沼崎は名前を聞かれた。

「今野達也」と告げると、フロントは「すぐに降りてこられるそうです」とにこやかな笑顔で答えた。フロント前のソファに腰を下ろしていると、船橋らしき人物が人を探すような視線で周囲をうかがいながら近づいてきた。上海で買ったのだろうか、日本ではあまり見ないデザインの開襟シャツを着ている。四十代前半のようだが、シャツの腹部がかなり出っ張っている。

沼崎はその男に見覚えがあった。サンワンホテルのロビーで見かけた男だ。何も気づかないふりをして立ち上がり、「失礼ですが、船橋さんですか」と声を掛けると、「今野さんですね」と聞き返してきた。

「ここでは話しにくいこともあるので部屋に行きましょう」

沼崎はショルダーバッグから名刺を取り出そうとしたが、船橋は背を向けてエレベーターに向かって歩き出した。昨日サンワンホテルにいたのに会おうとはしなかった。沼崎の様子をレストランやロビーで探っていたのだろうか。船橋は思っている以上に慎重で手ごわい相手かもしれない
沼崎は気づかれないようにカメラのスイッチをONにした。船橋は十七階のボタンを押した。宿泊しているのはジュニアスイートで、寝室の他にもう一つ小さい部屋があり、丸いテーブルが置かれていた。

「どうぞ、おかけになってください」

船橋はルームサービスを呼び出し、コーヒーを注文した。沼崎はテーブルの上にショルダーバッグを置き、中から名刺を取り出した。

「一昨日陳院長にもお話ししましたが、妻になんとかして腎臓を移植してやりたいと思っているんです」

　正面に座った船橋に名刺を差し出した。船橋もズボンのポケットからケースを取り出して名刺を沼崎に渡した。肩書きは邦人海外移植コーディネーターと記され、住所と電話番号はホテルになっていた。携帯電話は二つ記され、一つは中国国内のもの、もう一つは日本の携帯電話の番号だった。

「日本でも中国でも、おおっぴらにやれないこともあるので、こんな名刺になっていますがご理解ください。移植を受けた患者やその家族からは感謝されているのでご安心ください」

　船橋はこちらが抱きそうな不安を察知し、ビロードで頬を撫でるような口調で言った。

「並川良子さんへの移植も船橋さんがご尽力されたのでしょうか」

　海外移植コーディネーターの意味がわからずに、沼崎はこんな聞き方をしてみた。

「ええ」とだけ答え、船橋は詳細を語ろうとはしなかった。警戒され、口を閉ざされては上海まで来たかいがなくなる。沼崎は慎重に言葉を選ぶことにした。

　逆に船橋が質問をぶつけてきた。

「奥様はどちらの病院で透析をされているのでしょうか」

沼崎は質問を受けるとは想定していなかった。腎臓移植は東京女子医大がいちばん多いことを思い出した。

「東京女子医大で定期的な検査は受けていますが、透析は系列病院でやっています。もう三年目に入りました」

「まだお若いんでしょう」

「三十五歳になります」

「クレアチニンクリアランス値はどれくらいなんですか」

「私にはそういった詳しいデータはわかりません」

船橋の質問に答えていたのでは、ウソがばれてしまう。沼崎は船橋に取材したい内容を質し始めた。

「妻の実家は並川良子さんと同じ熊本県で、ホテルを経営しています。温泉の湧き出る観光地で経済的には余裕があり、もし移植をするのであれば援助するから金は心配するなと言ってくれています。実際どれくらいの費用を用意すればいいのでしょう」

「これまでの経験から腎臓移植にかかる費用は千二百万から千五百万円といったところでしょうか」

船橋はコンビニエンスストアの店員が客に買い物の合計金額でも伝えるかのように言った。

「それだけのお金を用意すれば移植は可能ですか」

沼崎はわざと身を乗り出して確認を求めた。

「その中には、手術費、看護費用、医薬品代、個室入院費用、通訳代、さらにはドナー関連費用、すべてが含まれています」

船橋の説明に、沼崎は体全体の緊張がほぐれていくような表情をしてみせた。

「妻の体力はかなり落ちてきています。上海を何度も往復するだけの余力はないと思います」

「日本での検査データをそっくりもらえれば、それで十分です。東京女子医大に対応してもらうことが困難であれば、熊本県の慈愛会病院で検査を受けてもらいます。そのデータに基づいて適合するドナーを探します」

沼崎は演技ではなく生唾を飲み込んだ。

「というと腎臓は生体の腎臓を移植してもらえるということですか」

震える声で沼崎は聞き返したが、驚きの理由は、生体腎移植が可能だという事実と慈愛会病院の名前が船橋から漏れたことだ。

「その通りです」

「その慈愛会病院というのは、透析というか、腎臓移植の専門病院なのでしょうか」

「いいえ、移植の専門病院というのは日本には存在しません。腎臓に詳しい医師がいると理解ください。それと海外での移植もやむを得ないと考える医師でなければ、こうしたプロジェクトには協力が得られません」

「妻は並川良子さんの周辺からも、移植を受けた彼女がどれほど元気になったかを聞いて移植を決意しました。移植を受けられるだけでも幸運だと思いますが、一つ聞かせてもらってよろしいでしょうか」

「どうぞ、なんなりと」

「先ほどの金額の中にドナーへの謝礼金は含まれているのでしょうか。それとたとえドナーが得られたとしても六十代、七十代のドナーから摘出された腎臓ではそれほど長く機能が維持できるとは思えないのですが、そのあたりはどうなっているのですか」

「ご心配の点はもっともなことだと思います。まず謝礼については先ほどの金額の中に含まれているので、後々のトラブルになることはありません。それとドナーですが、私はなるべくレシピエントの年齢に近いドナーを探すように心がけています。ドナーが見つかれば、レシピエントとその家族には、日本にいる間にドナーのプロフィールをお伝えできるようなシステムを取っています」

「並川さんのドナーも若い方だったのでしょうか」

「今、ここでこうして話していることはいっさい外部には漏らさないでくださいよ。

そうでないと奥様の手術ができなくなります」

「もちろんです。私は藁にもすがる思いで上海に来ているんです」

「並川さんご夫婦は二人の写真を部屋に飾っておくような仲の良いカップルで、良子さんは現在主婦業に専念しているはずですよ。一方ドナーは大金を手にして、悠々自適の生活を送っています。中国でも今は自由にそうした移植ができるわけではありません。自由に移植ビジネスをやっているのは地方の共産党党員の裁判官だけです」

船橋は中国の移植事情を滔々と説明した。中国全土で年間に行われている移植手術は一万件を超える。その数は世界一の移植大国である米国に次いで第二位だ。

「その中で最も多いのが腎臓移植で約六千例。しかし、それは中国が公表している数であって、実際はすでにアメリカをしのぐ数の移植が行われていると私は見ています」

中国は開放政策に伴い犯罪が増加した。そのために凶悪犯罪には厳罰で臨む「厳打政策」が執られ、大量の死刑囚が生まれた。

「年間三千人を超える死刑が執行されています」

「彼らの臓器が移植に回されているということですか」

「その通りです。しかし、死刑囚の腎臓を移植しようというのではありません」

「というと……」

「ドナーは探せばいるということです。それが私の仕事でもあります」

あまりにも堂々としているので船橋が冗談でも言っているのかと思った。

「臓器売買をして聖徳会病院が槍玉に上がっていましたが、何故あんな無意味なことをするのか、私にはわかりません」

「どういうことですか」

「移植医療そのものが日本では立ち遅れ、移植に対する考えもあやふやなまま今日に至っています。誰が臓器を売ってはいけないと言い始めたんですか。ついこの間まで、いや今だって臓器売買らしきことは行われているんです」

沼崎には船橋が言わんとしていることがまったく理解できなかった。船橋はある作家のエッセイを引き合いに出してきた。

「その作家は学生時代に売血していたことをエッセイに書いていますよ」

「でも血と臓器売買とは違うのではないでしょうか」

「そうですね。血は再生可能で、臓器にはそれができない。ただ自分の体の一部を切り売りしているという一点では同じことだと思いませんか。売血は現在では禁止されていますが、でも町の中で、血液が不足しています、献血にご協力を、と呼びかけているのをご存じでしょう。献血は献血者の善意で行われていますが、採血された血液が無償で患者に提供されているとお思いですか。日赤血液センターを通じて病院に有料で提供されています」

外国にまできて移植を受けようとする患者やその家族には、どこかに後ろめたさが付きまとっている。船橋の話に耳を傾けていると、その後ろ暗い気持ちが少しずつ削がれていくだろうと、沼崎は思った。

「人工心臓が千五百万円としましょう。死者から心臓が摘出され移植された場合、その心臓は少なくとも千五百万円以上の価値を持つのは当然のことです。提供は善意によるものだから、無償でなければならないという倫理に無理があるのです。提供は善意だが、それなりの報酬が得られるようになれば、日本でももっとドナーが現れると思います」

「中国とはいえ、報酬を求める善意のドナーを見つけ出すのは困難ではないのですか」

「十三億もの人口があるんです。日本でドナーが現れるのを何年も待っていることに比べれば、遥かに容易いことです」

実際の移植数はアメリカを超えているといった意味が沼崎にも理解できた。海外移植コーディネーターの仕事とは、報酬を求める善意のドナーを見つけることのようだ。

中国の一人当たりのＧＤＰは約三千ドル、水も飲まず食事もせずに砂漠を何日も歩いて来た遊牧民に、臓器を提供すれば十分な水と食事を与えると言っているようなものので、そこにドナーの善意が介在するはずがない。あるのは水と食料を提供する側の勝手な欲望だけだ。

「人口が多いからといって、そんなに簡単にドナーが見つかるものなのですか」

「上海で豪勢な生活をしているのは限られた一部の中国人だけです。内陸部の農村地帯を歩けば、食っていくだけで精一杯という貧しい人たちはいくらでもいます。彼らがそこに留まる限り、百万円、二百万円という金は一生かかっても手にすることのできない大金です。臓器を提供する代わりに彼らが手に入れる報酬は、そのリスクに見合ったものでなければならないと思っています。その資金を元に成功すれば、彼らも上海の高級マンションで暮らすことだって可能になるのです。だからその点はどうか余計な心配はなさらないでください」

「妻のデータが船橋さんの手元に届いてから、具体的にはどれくらいの期間で移植が可能になるのでしょうか」

「三ヶ月もあれば十分でしょう」

「まさか……」沼崎は絶句した。

「はっきりお答えしましょう。人間の生命にも高い安いの値段が付くのです。日本では保険金目当ての殺人事件が起きますが、まさか数十万円の保険金を詐取するために殺人なんか犯しませんよね。数千万円から数億円の金を狙って保険金詐欺を目論見ます。中国では数十万円で殺人を請け負う殺し屋がゴロゴロいます。この国では二、三百万円というのは人の命よりはるかに高い金額です。天安門事件を覚えているでしょう。戦車で学生を轢き殺しても、人口が減るわけではないと政府高官が平然とコメントする国なんです」

「わかりました。早く日本に戻り、このことを妻に知らせてあげたい気持ちになってきました」

おぞましい話を船橋は得々として語ったが、沼崎も努めて明るく振る舞った。

「いつ日本に戻られますか」

「こんなに早く移植の道が見つかるとは思っていなかったので、帰りは三日後のフライトになっています」

「そうですか。では今晩あたり食事でもしませんか」

「是非お願いします。一度ホテルに戻り、妻に連絡してやりたいのですが、よろしいでしょうか」

二時間後に再びホテルのロビーで待ち合わせる約束をして、沼崎は船橋の部屋を出た。

第十章　出外做活《でかせぎ》

マグロの一本釣り漁師が大物を仕留めたように沼崎は有頂天だった。サンワンホテルに戻ると同時に映像を確認した。笑みが自然に浮かんでしまう。

日本人への移植ルートの窓口である船橋の隠し撮りも完璧だった。船橋は何の警戒もなくすべてを証言した。上海での移植費用まで明らかにしている。

沼崎はビデオカメラからメモリーカードを取り出し、ノート型パソコンに挿入してコピーを作成した。ビデオカメラには新しいメモリーカードを挿入した。重要な映像はオリジナルとコピー二枚のメモリーカードに保存されている。自分でカメラを回した時はいつもそうしている。

取材費を抑えるために帰国日が決められた格安航空券で上海に来た。帰国は三日後だが、新たに航空券を買って明日にでも帰るつもりだ。

いつ正体がばれるとも限らない。船橋が並川順造かあるいは上原議員に電話を入れてしまえば、記者だとわからなくても、移植が架空話だとばれてしまう。都合よく船橋が食事に誘ってくれた。今晩は船橋と付き合い、明朝早い時間に空港に行き空いているフライトに飛び乗る方が無難だ。

沼崎は帰国の準備を整えると、ボールペン型のＩＣレコーダーを胸のポケットに差し込んだ。あとは船橋の正体と慈愛会病院との関係を聞き出せば取材は完璧だ。

沼崎は約束の時間より早めにプードン上海ホテルに戻った。ロビーを行ったり来たりして、船橋が降りてくるのを待った。船橋は約束の時間ぴったりにロビーに現れた。

「どこに行きましょうか」船橋が聞いた。

「来てからずっと緊張しっぱなしで、中華料理もろくに食べていません。船橋さんのお気に入りのところがあればそこへ連れて行ってもらえますか」

沼崎は遠慮せずに言った。

「海龍海鮮舫にでも行ってみましょう」

タクシーで数分の距離だった。レストランは黄浦江上に浮かぶ船上レストランで、外灘の夜景が目の前に広がった。

「ホテルでじっとしていても気持ちが落ち込むだけなので、昨晩タクシーで回ってみましたが、船橋さんとお会いした後に見る夜景はまったく違います。きれいですね」

沼崎は妻の移植に望みが出て、心から喜んでいるように振る舞った。

「奥様に一日も早く移植が可能になるように全力を尽くしますよ」

沼崎は深々と頭を垂れた。「ありがとうございます。それにしてもこうしたルートを開くまでにはいろいろご苦労があったんでしょうね」

「なんとか透析で苦しむ日本人の患者を救えればの一心でやってきました」

料理が運ばれてきた。日本人だけでなく世界各国の観光客が来るらしく、一流の食材を使っているという説明だった。船橋は上海滞在が長いのか、料理が運ばれてくるたびに中華料理の薀蓄《うんちく》を語った。

紹興酒もテーブルに置かれたが、沼崎は口を付ける程度にした。

「酒は弱いので」そう言い訳をすると、船橋は一人でボトル一本を空けてしまった。

二時間ほどして海龍海鮮舫を出た。酒には強いのか、船橋は普通に歩いている。

「もう一軒行きましょう」

船橋はタクシーに乗ると、沼崎の意向など聞かずに中国語で道順を運転手に説明した。簡単な会話はできるようだ。タクシーは折れ曲がった釘のような文字で「赤坂」と記されたネオンが点滅している店の前で止まった。ドアボーイが走り寄ってきて、タクシーのドアを開けた。船橋は何度も通っているのだろう。

店内に入ると、ボックス席が奥まで並ぶ場末のキャバレーのような造りになっていた。船橋が入ってきたことがわかると一人のホステスが歩み寄ってきて、腕を組んで席へと導いた。テーブルを挟んで四人はゆうに座れるソファに船橋と沼崎が向き合うように腰を下ろした。

「私の友人の今野さんだ」

「イラッシャイマセ」ホステスは船橋の隣に寄り添いながら言った。「楊麗と言います」

ホステスは多少の日本語が話せるらしい。楊麗は三人のホステスを呼び、船橋や沼崎を挟むように座らせた。

船橋のボトルをボーイが運んできた。ジョニーウォーカーの最高峰といわれるブルーラベルだった。船橋は海龍海鮮舫でも紹興酒をほとんど一人で一本飲んでいるのに、氷を二、三個入れたロックグラスにブルーラベルをなみなみと注がせて、喉を鳴らしながら飲んだ。沼崎も水割りを作らせた。

楊麗は船橋にしなだれかかり、沼崎には目もくれない。船橋の横に座ったもう一人のホステスはすることもなく手持ち無沙汰で、妖しげな視線を沼崎に送ってきた。

沼崎は船橋から少しでも情報を聞き出そうと、機会を狙っていた。

「船橋さんは、どうやって上海の病院へ人脈を開拓されていったんですか。それに医学的な専門知識もなければこういったプロジェクトはなかなか進められないでしょう」

「私の両親も兄も妹も山梨県で医者をしています。私自身も明昭医大を卒業しましたが、親の敷いたレールの上を走りたくなくてドロップアウトしたんです」

「エッ、あの明昭医大を卒業して医師の道を選択しなかったんですか」沼崎はいきなり頬を叩かれたような気分だった。

「卒業後、医師の国家試験も受けずにフラフラしていましたが、いつまでもそんな生活をしているわけにもいかずに共健製薬に入り、医師に新薬の解説やら学会で発表になった注目すべき論文などをもって市場開拓を担当していました」

「それで医師との人脈も広いというわけですか。東京でお仕事をされていたのですか」

「いや、最後は九州地区の営業を一手に任されて、博多営業所にいましたが、自分なりに納得できる仕事をと思ってコーディネーターを始めてみたんです」

二人の会話に入れずホステス同士が話を始めていた。

「プロモーターの並川さんを覚えているだろう。奥さん同士が知り合いなんだよ」

船橋が説明すると、楊麗が突然身を乗り出してきた。

「前は日本語もできない、カラオケも歌えない。でも今はできる。並川さんにもう一度オーディション受けさせてもらえるように頼んで」

沼崎には楊麗の言っている意味が理解できなかった。怪訝な顔をしていると、船橋が大笑いしながら言った。

「お前は何度オーディション受けても無理。顔が不細工すぎる」

「私、ブスじゃないよ」

そんな楊麗を無視しながら船橋が説明した。

「テレビ界も広告収入が減り、有名タレントにも以前のようなギャラは払えなくなってきています。バラエティーに出演する外国人タレント専門のプロダクションを並川社長は別会社で作ったんです。それがいつの間にか外国人タレントといっても、新宿や六本木のバーやクラブで働くホステス兼タレントの受け入れをする会社になってしまった」

楊麗はそのオーディションに落ちていたようだ。三分の二は残っていたボトルが底を突いた。船橋が身を屈めて沼崎に話しかけてきた。

「私は楊麗を連れて店を出ます。この店のホステスは全員テイクアウトができます。今野さんもよろしかったら好きな女性を同伴すればいい」

「いや、私は……」口ごもった。

「奥様のことは任せてください。いつも緊張していたのでは長丁場は乗り切れませんよ」

こう言って、船橋は楊麗に「もっときれいなホステスはいないのか」と言った。

楊麗は席を立ち、新たに二人のホステスを連れてきた。船橋は帰り支度を始めた。立ち上がろうとする沼崎を制して言った。

「今野さんはもう少し上海の夜を楽しみなさい。いいですか。臓器移植も売春も構造は同じなんですよ。体の一部の臓器をそっくり他人に提供するか、あるいは肉体のすべてを時間限定で与えるかの違いだけです。日本が異様なのは、風俗営業、ソープランドで事実上は売春を認めているのに、臓器売買は認めないことです。臓器売買を認めないなら、売春もボランティアで無償なら認めるというふうにすれば筋が通る。売春がおおっぴらに通用する国は、臓器売買も当然可能になる。こんな当たり前なことが日本では通らない」

笑いながらボックス席を離れていく船橋からは、背中に汗が流れるような不気味さが漂ってきた。二人が立ったその席には楊麗に呼ばれたホステスが座った。楊麗が二人に中国語で話しかけた。

ソファに座ったホステスの一人が言った。「あなた、並川社長の友だちですか」

沼崎が並川の友人で、オーディションに便宜を図ってくれるとでも楊麗が言ったのだろう。

「今野さん、ここは私が支払っておきますので、一人は連れ出してやってくださいよ」

意味ありげな薄笑いを浮かべ、船橋はこう言い残して楊麗と店を出ていった。

残された沼崎は薄い水割りを作らせ、時間をかけて飲むようにした。どこかで監視されているようで気味が悪い。三十分間だけ飲んでホテルに引き揚げることにした。

「こんどアジアン・ワイドプロのオーディションはいつありますか」

並川が経営するもう一つの芸能プロはアジアン・ワイドプロというようだ。楊麗に呼ばれたホステスの一人が話しかけてきた。アケビの実を割ったようなしっとりとした白い肌をしている。彼女は日本語が話せないのか英語で話しかけてきた。

「そんなことわからないよ」

水割りを一口飲んで、ぶっきらぼうだが沼崎も英語で答えた。そのホステスはポーチから名刺とペンを出して、「麻美」という源氏名が印刷された名刺の裏に「王小芳」と記した。「次のオーディションで私を日本に招請するように言ってください」

それを見ると、他の四人も名刺に自分の名前を書いて、並川に取り次ぐように言ってきた。沼崎は苦笑しながらそれを受け取った。頃合を見計らって店を出ようとした。

五人のホステスはソファに座ったまま動こうとしない。

「誰をホテルに連れて行きますか」沼崎の右横に座っていたホステスが尋ねた。

「今日は疲れたので、明日また来ます」

こう言った瞬間、四人のホステスはテーブルを離れた。王小芳だけは、店を出て通りまで見送りに来た。

「タクシーで帰りますね」

沼崎が頷くとドアボーイに中国語で話しかけた。ドアボーイが手を上げて流しのタクシーを止めた。

「どちらのホテルですか」

「サンワンホテルに泊まっている」

王小芳は「また明日来てくださいね」と言って、タクシーにホテルの名前を告げた。

ホテルに戻り、沼崎はシャワーを浴びるとすぐにベッドに身を横たえた。明日はできる限り早く日本に戻れるフライトを押さえ、帰国したいと考えていた。

緊張しているせいか八時前には目が覚めてしまった。まだ顔も洗っていなかったが、ロビーに降りた。一刻も早くフライトの手配を済ませたかった。

エレベーターを降りフロントに歩いていくと、「ミスター今野」と声をかけられた。ロビーのソファから女性が立ち上がった。「赤坂」のホステス王小芳だった。

「ご相談したいことがあります。少し時間をいただけますか」

「日本から連絡があって、すぐ帰国しないといけないんだ。次の機会にしてくれないか」

沼崎はフロントに行こうとすると、「十分、いや五分で結構です」と王小芳が遮るようにすがってきた。

「君の名前は並川さんに伝えておくよ」

「お話ししたいことはそんなことではありません。どうか私の話を聞いてください」

流暢な英語で、王小芳は高等教育を受けていると沼崎は感じた。一睡もしていないのか精気がなかったが、表情は緊張している。

「じゃあ、そこでコーヒーでも飲みながら」

沼崎は朝食を摂りながら彼女の話を聞くことにした。ロビーフロアにあるレストランでコンチネンタルブレックファーストを二つ注文した。

「ご無理なお願いをして申し訳ありません」王小芳が言った。

「それで相談というのは何ですか」沼崎は煩わしそうに聞いた。

「今野さんと並川さんが直接お知り合いではないというのはわかっていますが、もし可能なら今野さんの奥様を通じて、私の姉の消息を聞いてほしいのです。姉は並川さんのプロダクションを通じてエンターティナーとして日本に入国しましたが、昨年末から連絡が取れなくなっているんです」

「それなら並川さんに直接聞けばいちばん確かなことが聞けると思うけど……」

沼崎は運ばれてきたコーヒーを飲みながら、素っ気ない返事をした。

「ご迷惑なお願いをしているのはわかっています。オーディションを受けるメンバーは昨晩の楊麗と船橋さんが選び、日本からきた並川さんの部下が直接面接をします。船橋さんには何度も頼みましたが、姉は契約違反をして自分でどこかのクラブで働きだしたので、そんなホステスのフォローまでできないと何もしてくれないのです」

沼崎はますます煩わしく思えてきた。「ではお姉さんの名前と、わかっていれば日本の住所を教えてほしい」

王小芳は「福岡県福岡市早良区高取二丁目××番地　王小紅」と記した。

「約束はできませんが、並川さんとコンタクトが取れれば聞いてみます」

王小芳は運ばれてきた朝食には手もつけようとしなかった。

「私はこれで失礼します」

沼崎は一刻も早くホテルをチェックアウトしたかった。

「あの……」

「まだ何かあるのですか」尖った口調で聞いた。

「並川さんに見せてもらえれば話しやすいかと思って、姉の写真を一枚だけ持ってきているのですが」

王小芳は小さなバッグから写真を一枚取り出した。

沼崎はその写真を受け取った。

プラットホームに入っている新幹線を背景に撮影された写真だった。先頭車輛の前に写っている女性を見て沼崎は息を詰まらせた。

〈まさか〉

背後から不意に蹴飛ばされたような顔をしている沼崎を、王小芳が不思議そうに見ている。

「いつ頃の写真ですか」

「去年の九月頃、実家に送られてきました」

「お姉さんの写真はまだありますか」

「実家に行けばあります」

「遠いのですか」

「ここから車なら二時間くらいです」

「わかりました。詳しいことはタクシーの中で聞きます。今荷物をまとめて降りてきます。待っていてください」

暗闇を手探りで進む沼崎の指先が、鋭い刃物に触れたような錯覚を覚えた。

チェックアウトを済ませると二人はタクシーに乗り込んだ。市内を抜けると、周囲の風景は一変し田園風景に変わった。舗装はされていたがいたるところに穴が空き、通るたびに車は大きく揺れた。小さなバイクが道路の真ん中を走り、決して道を譲ろうとしない。運転手はクラクションを鳴らしながら強引に負い越すしかなかった。

「昨晩は寝ていないのでしょう」

「二時間ほど横になって寮から出てきました。ロビーでお待ちしていれば降りてこられると思って……」

王小芳は朝の六時くらいからロビーに来ていたようだ。

「王小紅さんが日本に出稼ぎに行くまでの経緯を説明してほしい。それを聞いた上で私もあなたに話したいことがあります」

王小芳は沼崎の真意がわからず、狼狽の色を隠せない。怪訝な表情を浮かべ、話しあぐねている。沼崎はバッグから沼崎恭太の名刺を出して王小芳に渡した。

「私は今野達也ということで船橋に接触しましたが、本当はこの名刺に書かれているのが本名でジャーナリストです。私の勘違いであればいいのですが、もしかしたらお姉さんは日本で死亡しているかもしれません」

「何を言い出すんですか」王小芳は鋭い声を上げた。

青木ヶ原樹海で発見した遺体が王小紅の写真とそっくりだという点と、他殺か自殺かは不明だが、本人は睡眠薬を服用し凍死していた事実、そして左側の腎臓が摘出されていたことを告げた。

王小芳は黙り込んでしまった。しかし、沼崎の説明を信じている様子はない。半信半疑なのかもしれない。突然、姉が死んでいると告げられても鵜呑みにできるはずがない。

一時間もすると道の端を馬車がノロノロと進み、その横を観光バスが猛スピードで走り過ぎていく。

タクシーは幹線道路から外れ、土埃を舞いあげながら農道を走りだした。三十分もすると、視界に小さな集落が見えてきた。瓦屋根もあるが、半数以上は茅葺き屋根だ。

「実家は貧しいので驚かないでください」

ようやく王小芳が口を開いた。運転手に道順を伝えた。

「着きました」

茅葺き屋根で、しかも壁の漆喰が剥がれ落ちていて、見るからに貧しい家といった風情だ。二人は車を降りたが、タクシーは家の前に待たせることにした。

王小芳は板切れを寄せ集めて作ったドアを開け、怒鳴るように叫んだ。中は暗く、外からでは様子がわからない。王小芳の声に中から腰を曲げた老人が、眩しいのか手で庇を作りながら出てきた。

「父です」

中からやはりもう何日も着っぱなしと思われる粗末な衣服をまとった老婆が姿を現した。王小芳の母親だった。

「日本人の沼崎さんが姉の写真を見せてほしいと言っているの。もしかしたら姉の消息をご存じかもしれないの」

「日本に出外做活《でかせぎ》に行って、元気にしているとは思うが手紙がこなくなってしまったんだ」

父親が呟いた。

母親が奥の部屋から写真を三枚持ってきた。いずれも日本で撮影されたものだ。福岡ドームを背景にしているものと、中洲の屋台で食事をしている写真二枚だった。

「やはり間違いない」

樹海の遺体は王小紅だ。

「撮影をさせてもらうよ」沼崎はバッグからカメラを取り出してすべての写真を素早く複写し、一家を撮影し始めた。

タクシーの中で沼崎から聞いた話を王小芳が両親に説明している。

父親は身体を震わせて沼崎に殴りかからんばかりに激怒した。

「この大ウソつきめ。わざわざこんな田舎まで不吉なことを言うためにやってきたのか」

「間違いであってくれればいいが、遺体を最初に発見したのは私なんだ。だから間違えようがない。日本に出稼ぎに行くまでの経緯を説明するように、ご両親に伝えてほしい」

王小芳が沼崎の言葉を通訳してくれた。母親は父親より事情を知っているのか、涙を浮かべながら話を始めた。

「一家の生活を支えるために長女の小紅は最初上海で働いた。二女の小芳が大学に入り、もっとお金が必要になった。それで小紅は三年ほど前に日本に出稼ぎに行ったのさ」

「姉は私の学費と両親の生活を支えると言ってくれたんです」

「上海のどこで働いていたのでしょうか」

「高級レストランで働いていると言っておった」

母親はそう聞いていたようだ。おそらく「赤坂」で働いていたのだろう。視線を王小芳に送ると、彼女は無言で頷いた。定期的に生活費を上海から送金してきていた。それで王小芳が大学に入学すると、その送金だけでは不足した。それでアジアン・ワイドプロを通じて訪日し、博多でホステスをしていたらしい。

「二年前、長女が突然日本から帰ってきて夢のような額のお金を渡してくれたのさ。でも父親にも妹にも言うなと口止めされた」

「何故そんな大切なことを黙っていたんだ」

父親が母親に殴りかかった。沼崎と王小芳は二人の間に入り喧嘩を止めた。

「どれくらいの金額だったの」王小芳が尋ねた。それを聞いて彼女は絶句した。

「通訳してくれ」沼崎が声を荒らげた。

「三万ドル」

王小芳も激しく取り乱し、通訳ができる状態ではなかった。母親は意外に冷静だった。怒る夫を鎮めると話を続けた。

「大金をもらったけど、きっと苦労して作ったんだろうから、今まで通りの生活を私らは続けた。あれだけのお金があれば、二女を大学に通わせることもできるし、私らも当分の間は生活に困ることもない」

王小芳は身を切り刻まれるような顔をしている。一年の日本滞在でそれだけの金額が蓄えられる職業は、今の王小芳なら想像がつく。

「頼むからお母さんの話を通訳してくれ」

涙をこらえながら王小芳が通訳を続けた。上海に戻った王小紅は再び「赤坂」で働き始めたようだ。

「日本で働き過ぎたせいか、長女は体の不調を訴えるようになったのさ」

「それなのにどうしてまた日本に出稼ぎに行ったのかを聞いてくれ」

「私にもわからん……。くれた三万ドルのうち五千ドルほど持って日本に行ったよ。それから間もなく音信不通になってしまったのさ」

「大事なことだから聞いてほしい。つらくても通訳してくれ。三万ドルを持って帰国した後、王小紅の裸の姿を見たことがあるかを」

王小芳が母親に聞いた。母親は肩を震わせるばかりで何も答えなくなってしまった。

それでも沼崎は確かめるように言った。「左半身には背中から脇腹にかけてメスが入れられた傷があったんですね」

　母親は首を折るように頷くと、その場に倒れ込んでしまった。沼崎は抱きかかえ、頬を叩き意識を回復させようとした。部屋の隅にはソファらしきものがあったので、そこに母親を寝かせた。父親がフラフラした足取りで台所から茶碗に水を汲んでくると、彼女の口元に近付けた。母親は飲む気力もないらしく、口を固く閉じたままだったが、強引に水を飲ませた。

　意識を回復すると、老婆は両手で顔を隠し、肩を震わせ、声を殺し泣いた。王小芳が歩み寄り、母親の前に跪き、そっと抱き締めた。父親は失神しそうで、崩れかかった壁に身を持たれかけてしまった。

「なんていうことを……」沼崎が呻くように言った。「三万ドルの他に長女から預かったものはありませんか」

　長女の小物入れに残されていたものだと母親が出してきたのは、二通の健康診断書のコピーだった。一通は慈愛会病院で検査を受けた時のもので、もう一通は上海大学付属大山病院の陳安博院長のサインが入った書類だった。王小芳に翻訳させた。

「これは姉の健康診断書です」

　検査内容は血圧、血中脂質、肝機能、腎機能、尿検査、胸部エックス線、貧血、心電図検査で慈愛会の健康診断とまったく同じ内容だった。さらに行われていた検査は血液型検査とＨＩＶ検査だった。

「ＨＬＡも調べている」

人間の身体には他人のものを拒絶するＨＬＡ（ヒト白血球抗原）と呼ばれる仕組みがあり、その適合性を示すデータだった。二通の診断書の検査項目は同一で、今度は沼崎が沈黙する番だった。

診断書の日付は三万ドルを携えて帰国する直前が慈愛会病院、直後が上海大学付属大山病院になっている。王小紅は二つの病院で念入りに検査を受けていた。

「この診断書も複写させてもらうよ」

両親はすぐに同意してくれた。沼崎は両親に王小紅の指紋が採取できそうなものはないかを聞いた。母親が王小紅が以前使っていた手鏡を持ってきてくれた。

再びタクシーに乗り込むと、上海に戻るように告げた。

「お姉さんのことは責任を持って調査する。事実を報道すれば、君にも危害が加えられる可能性があるからすぐに『赤坂』は辞めた方がいい」

「沼崎さんはこれからどうされますか」

「上海でチケットを購入して日本に戻りたい」

タクシーに乗り込むと、沼崎はパソコンを起動して王小芳と両親を撮影した映像のコピーを作成した。コピーをメモリーケースに入れ、オリジナルは、陳安博院長と船橋を隠し撮りしたメモリーカードと一緒にパスポートに挟んで、胸のポケットにしまった。

コンビニエンスストアのポリ袋から汚れた下着を取り出して、手鏡を包み、歯ブラシやシャンプーを入れた洗面具ケースに入れた。

上海市内に入ると、旅行代理店の前で二人はタクシーを降りた。午後五時のフライトに空席があった。急げばまだ間に合う。そのチケットを手配した。

「君は携帯電話を持っているか」

「いいえ、そんな高価なものは持っていません」

「では携帯電話が買えるところへ行ってほしい」

沼崎は彼女に携帯電話を買い与えた。

「これから君と電話でやりとりしなければならないと思う。連絡にはこれを使ってほしい。それと姉の調査にこれ以上深入りすると本当に危険だから、姉の死を無駄にしないためにも大学に戻った方がいい」

沼崎はこう言い残して一人で空港に向かった。

第十一章　新病院建設

日野が午前中の外来患者の診察を終えて、一階の泌尿器科の診察室で一息ついていると、加藤看護師長がカルテを整理しながら話しかけてきた。

「慈愛会病院が泌尿器科の分院を造るという話、知っとりますか」

「慈愛会でももっと透析ができるようになるとか」日野が聞き返した。

患者から慈愛会病院は都合のいい時間に予約が入れにくいと聞いていた。ダイアライザーがそもそも少ないのだろう。

「Y市から通ってくる患者さんがそう言うとりました」

「そうなれば、患者にとってはよかこったい。通院の負担がかからんようになるし、ここまで通ってくる交通費もバカにならんでな」

「それならよかですけど……」

加藤の心にはサイダーの泡のように次から次に疑問が湧き上がっているらしい。

「新しい病棟ば建てて、最新の医療機器を導入するっていう話だし、そげんしてまで分院を造ってですよ、採算は取れるとですかね」

確かに医者が儲かる時代はとっくに終焉を迎えている。聖徳会病院も厳しい経営を強いられている。病棟の古さは慈愛会病院とは比較にもならない。ただ、職員の給与は慈愛会病院と大した差はないが、しかし、定着率は雲泥の差だった。慈愛会は医師も看護師も出入りが激しかった。日野自身も慈愛会の医師から転職の相談を受けることがあった。人使いが荒いというのが理由だった。

「ここだけの話として聞いておいてほしかことですが……」

竹を割ったようにざっくばらんな性格で、こそこそするのを嫌う加藤がこんな話し方をするのは珍しい。

「柳沢裕子の件ですが、警察に通報したたんは慈愛会病院の先生ではないかという気がするとです」

「そげんこつはどうでもよか」日野は一蹴した。

「どうでもよかことではありません」

加藤はいつになく強い口調で言い返してきた。

「慈愛会の泌尿器科で働いている友人がそっと教えてくれたんです」

元々聖徳会病院の患者だった柳沢裕子が慈愛会病院で治療を受けるようになった。しばらくして担当医から柳沢裕子が慈愛会病院で治療を受けていることも含めて一切口外しないよう緘口令が出されたと、加藤に伝えてきたらしい。

その直後に臓器売買事件のニュースが流れた。加藤は背後で糸を引いているのは慈愛会ではないかと想像していた。

「慈愛会の先生が通報しようがしまいが、あの件はいずれ明らかになっとったことたい。あれはあれでよかったとわしは思うとる」

日野は率直な自分の思いを語った。加藤には吹っ切れない思いがあるようだ。

「私が妙だなと思うのは、それだけではなく、その後の大田院長と上原議員の攻撃です」

「攻撃」という言葉が適切かどうかは別にして、日野自身にも不可解と思えるふしはあった。特に上原議員のマスコミへのコメントはどうしても理解できない。

「大田院長は聖徳会病院が憎くて、つぶそうとしているんではないかと思えるとです」

「そりゃあ考え過ぎたい」

日野は一笑に付した。これ以上加藤に付き合っていると、日頃の患者への対応の甘さまでを批判されそうな雰囲気だった。

「そんなことよりも高倉治子のカルテを出してくれんか」

「またそうやって話題を変える」と加藤は文句を言いながら、カルテを取り出してきてくれた。

日野は検査結果のデータを見ながら深いため息を一つついた。

高倉治子には、長年の透析によりすでに合併症の症状が現れていた。透析困難症もその一つで、人工透析が長期間続き、血圧が降下して低血圧になり透析が行いにくくなるのだ。また慢性腎不全の患者の死亡原因の多くが心不全で、腎機能が低下すると心臓に多くの負担がかかり、息切れや呼吸困難などの症状が現れる。心臓に栄養を送る血管の流れも悪くなり、狭心症や心筋梗塞を併発することもある。

二次性副甲状腺機能亢進症の傾向も見られた。慢性腎不全では、副甲状腺から副甲状腺ホルモンが過度に分泌されてしまう。二つの原因が考えられる。体内に入ったリンはほとんどが腎臓から排泄されるが、慢性腎不全では血液中にリンが蓄積され高リン血症を起こし、直接副甲状腺を刺激する。

もう一つは低カルシウム血症だ。腸からカルシウムを吸収するためには活性型ビタミンDが必要になるが、ビタミンDは腎臓で活性化される。これが不足するとカルシウムを腸から吸収できなくなり、血液中のカルシウムが減る低カルシウム血症にかかる。

高リン血症と低カルシウム血症により、過度に分泌された副甲状腺ホルモンによって、人間の体は骨を溶かしてでも、血液中に不足したカルシウムを取り込もうとする。これが二次性副甲状腺機能亢進症で、骨が溶け出してもろくなる線維性骨炎を引き起こし、進行すると骨や関節の痛み、骨折、筋力の低下の症状が出てくる。手足を動かす末梢神経にも異常が起こり、手足のだるさを訴え知覚の異常も発生する。

このまま透析を続ければさらに体力は低下し、当然免疫力が落ちて感染症を引き起こしやすくなる。そうなってからだと移植は困難になる。

一日も早く腎臓移植をすればそれだけ生着率もよくなるし、高倉治子の命を救うことになる。しかし、今は手も足も出せない状態だ。

三日前のことだった。透析ルームから加藤看護師長の声が廊下まで聞こえてきた。

「高倉さん、私の声が聞こえますか」

透析を始めてから四時間が経過し、もう少しで終了する頃だった。加藤が透析中の高倉に声をかけていた。ベッドから尿が滴り落ちていた。若手の看護師がモップで床に落ちた尿を拭き取っていた。

加藤が高倉の頬を叩いている。意識も朦朧としているようだ。日野がベッドに駆け寄った。血圧は低下しているが、心拍数に異常はない。透析による急激な血圧降下に意識を失ってしまったのだ。

患者はベッドに横たわり透析を受ける。その間、ベッドはカーテンで仕切られることはない。しかし、こうした緊急の時はベッドをカーテンで囲む。加藤は若手の看護師に入院用の寝巻きと体を拭くためのタオルを持ってくるように指示を出した。

高倉の着替えがようやく終わった頃、突然カーテンが開いた。迎えにきた裕美が青ざめた顔で治子の顔を覗いた。

「ママ、大丈夫、どげんしたと？　私よ、わかる」

治子は重そうに瞼を上げた。左手が宙をさまようように裕美の顔を探している。裕美はその手を取ると、自分の頬に当てた。

「ママ、私はここにいるよ。わかる……」

眼にたまった涙が雨の滴のようになって裕美の頬に流れ落ちた。

「ごめんね」治子が力なく言った。

「もうすぐ透析は終わるけん、このまま今晩は入院させてもよか」

日野が言った。

「日野先生、大丈夫です。裕美の車で帰りますけん」

治子がうっすらと開いた目で日野を探しながら言った。

「着替えは車に積んであるから泊めてもらおう」

裕美は母親に付き添ううちに、透析患者の多くの家族がそうしているのを知って、自分でも母親の着替えを車に積んでいたようだ。

「ママはもう大丈夫よ。透析が終わりそうになったら呼ぶから、待合室で休んでいるとよか」

加藤が裕美に言った。

日野も裕美と一緒に透析ルームから出た。

「先生、今お時間をいただけますか」改まった様子で裕美が言った。

日野は会議室に裕美を呼んだ。

「聞きたかことがあるとです」

「何が知りたかつか」

「先生もご存じの通り私たちは二人で暮らしています。父親はいますが、もう他人みたいなもんです。私も二十歳になりました。母がどれくらい生きられるか知っておきたつです」

先ほどまで大粒の涙を流していた裕美から少女の面影は消えていた。母親の死を直視しようと冷徹な顔をしていた。日野は事実を伝えるしかないと思ったが、やはり一瞬躊躇した。母親の余命を宣告されて、冷静でいられるはずがない。

「この間も母と話しました、移植のことで」

裕美からの腎臓提供は固く拒んでいた。「そこまでしてママは生きていたくなか。それよりもお前がママの分まで生きて幸せになってほしか」

裕美は説得を諦めていた。

「お前が結婚するまで生きられんかも知れん。多分無理だと思うとる。裕美ならよか男に巡り会える。天国から見守っておる」

裕美は母親との話を日野に告げた。

「レストア・キッドニとはいえ、母が移植を受けるには、誰かががんにかからなければできません。母を救うために誰かががんになるのを待つような、そんなことは私もしたくはありません。誰かが不幸にしてがんにかかり、その腎臓を移植に使ってもいいとおっしゃるなら心から感謝して母に移植させてもらいます。でも、そのチャンスが来なければ、それは運命だと思って諦めるしかなかと思うとります。それまでは母にできる限りのことはしてやりたか。だから先生、母の余命ば教えてほしいんです」

事実を告げても、裕美は受け止められると日野は判断した。

「このままでいけば短ければ半年、長くても一年と思うとる」

「わかりました。ありがとうございます」

裕美は深々と頭を下げた。

会議室を出ると、裕美は女性用トイレに駆け込んだ。きっと一人で泣いているのだろうと日野は思った。

その夜も日野が帰宅したのは十二時過ぎだった。車庫にシビックを入れると、家の中の電気が点いているのに気がついた。玄関の鍵はかかっていなかった。玄関の鍵を閉め忘れることもあるが、泥棒に入られたこともないし、お手伝いさんが消し忘れたのだろうと思った。

「お帰りなさい」

居間のソファに座りながらテレビを見ていたのは由香里だった。

「相変わらず家の中はグチャグチャじゃないの」

「どこがだ」

日野には見やすいところに、わかるように資料や医学書が置かれているのだが、由香里にはただ足の踏み場もなく雑然としているとしか見えないのだろう。

「あまりのマスコミバッシングにまいっていないかと心配になって、ゴールデンウィークを利用して一週間の休みが取れたので最終便で戻ってきたのよ」

「連絡をくれれば、誰か空港に迎えにいってもらったのに」

「そんなことよりも、もう少しマスコミの対応は考えてやらないと叩かれるだけ損というものよ」

由香里の言う通りだと日野自身そう思うが、どんな対応をしようがマスコミ報道は事実とはかけ離れた方向へ展開していくような気がする。青木ヶ原樹海の遺体をドナーに仕立て上げるニュースには呆れて二の句が継げなかった。

「今だから言うけど、あの番組を制作したのは大学時代の友人なの」

放送直後、由香里から電話があり、取材したディレクターの名前を日野は伝えていた。

「マスコミというのは事実を報道するのが仕事ではないとか」

「そうだけど、そうではないマスコミもあるってことよ。だから考えて記者には話をしなければだめだって」

「わざわざそんなことを言うために戻ってきたとか」

「それだけじゃないわよ。調べたいこともあるし、聞きたいこともある。あのカルテは何なのよ」

「保管してあるとか」

「銀行の貸金庫の中」

「それでよか」

「それでよかじゃないでしょ。誰なのよ、鳥羽博之っていうのは」

「知らんでもよか」

「それでは困るから聞いているの、いい加減にしてよ。いい、私もマスコミ人の一人なの。親父が真実をしゃべらないなら、あんなもの病院へ返すわ」

　いつになく由香里の口調は刺々しい。

「鳥羽は芳賀美津子のドナーたい」

「そんなことはカルテを見れば書いてあるから、私にもわかるの。聞きたいのはドナーとレシピエントの関係よ。本当に父と娘なの？」

日野は「エッ」と驚きの声を思わず漏らした。

「どうしてそれを知っているんだ」

この件で警察から聴取を受けても黙秘を貫くつもりでいた。

「根拠のない推測で報道するマスコミにも問題はあるけど、親父の対応にも問題があるからわけのわからないニュースが垂れ流されるのよ。私にも真実が話せないっていうわけ」

喧嘩腰だが心配してくれているのが伝わってくる。

「本人の許可がない限り絶対に他人には明かしてはならんぞ」

日野も由香里を睨みつけた。

「鳥羽は自分の娘に腎臓を提供したったい」

「それなら何故調査委員会にもそう報告しないの。レシピエントの芳賀美津子にもレストア・キッドニを移植したって説明しているでしょう。隠そうとするから余計なトラブルが起きるのよ」

「鳥羽からそう頼まれた」

「何よ、それ」

事実を話すしかないと日野は思った。

「芳賀美津子の母親も実はわしが治療しておった」

鳥羽博之は元ヤクザで、暴力団の勢力争いで、相手の組の幹部を殺して刑務所で服役していた。芳賀美津子は母親に連れられて、母親の実家に戻ったが、鳥羽が殺人を犯したことは周囲に知れわたっていた。親戚からも受け入れられずに母親は苦労の連続だった。結局、合併症で母親は亡くなった。

芳賀美津子は母親がまだ若くして亡くなったのは、父親のせいだと憎んでいた。その美津子もまた腎臓病を発症し、透析を受けなければならなくなった。

「出所した鳥羽は自分の娘がどうしているか、消息を調べた。それで相談があるとわしを訪ねてきた」

日野から事情を聞いた鳥羽は、美津子に知られないようにして、完治するまで医療費はすべて自分が負担すると言った。しかし、透析にかかる費用は国庫負担で、また慢性腎臓病の完治はなく、移植するしか方法がないことを日野は説明した。

「俺の腎臓ば娘に移植してくれ。美津子がそれで透析から解放されるのなら、俺は死んでもよか」

こう言って鳥羽は娘への腎臓移植を訴えた。しかし、父親の腎臓とわかれば美津子が拒絶するのは明白だった。

「レストア・キッドニと美津子には説明するしかなかった」

臓器売買事件が発覚するまでは何の問題もなかった。やがてレストア・キッドニ移植が世間を騒がせるようになると、鳥羽から日野に連絡が入った。

「もし俺の腎臓が移植されたことを知れば、美津子がどう思うかわからん。日野先生には迷惑ばかけるかもしれんが、秘密ば守り通してほしか」

そう頼まれて日野は念のために鳥羽のカルテを隠すことを決心したのだ。

「それならそうと最初から説明すべきよ」

由香里は落ち着きを取り戻したのか、「疲れた」と自分の部屋に戻っていった。納得のいかないことは、最後まで問い詰めないと気がすまない性格は母親とそっくりだと思った。

翌朝、由香里は外出の用意をしていた。

「かんぽの宿に一泊して明日帰ってくるから、加藤さんに会いたいって伝えておいて」

由香里は東京から戻ると、Y市にあるかんぽの宿に泊まった。そこの温泉が気に入っていた。間もなくクラクションが鳴った。タクシーが着いたのだろう。

「明日のお昼過ぎに直接病院に行きます」

由香里を乗せたタクシーは三十分もするとY市に入った。慈愛会病院の建物が視界に入った。熊本県北部の医療の中核をなす総合病院と言ってもいいだろう。白さが目に染みるような七階建てのビルで、聖徳会病院とは天地の差がある。

温泉が湧き出る観光地でもあり、温泉旅館が通りの両側に建ち並ぶ。慈愛会病院の横を通り過ぎて間もなくのところにかんぽの宿はある。由香里が気に入っているのは宿泊費もリーズナブルで、予約なしでいつ行っても部屋は空いているし風呂も広いからだ。

「一泊しようと思っているのですが、お部屋ありますか」

フロントに尋ねると、由香里のことを知っているスタッフが対応してくれた。

「お久しぶりですね」と言って部屋のキーを差し出した。「日野先生はお元気ですか」

一連の報道で聖徳会病院の窮地を地域の人たちも知っているのだろう。

「ええ、なんとか頑張っているようです」

「日野先生もたまにはゆっくり温泉につかるように伝えてください」

「ありがとうございます。伝えておきます」

家族に対しては素っ気なくぶっきらぼうな父親だが、外面《そとづら》はいいのか父親の悪口を直接聞いたことはなかった。

由香里は二階の和室に通された。和室の方を好むのを知っていて、フロントがそうしてくれたのだろう。一週間の休みを取ったといってもまるまる一週間休んでいるわけにはいかない。作家の小説原稿に目を通さなければならないが、その前に風呂に入ることにした。

風呂場は一階にある。入浴客は誰一人いなかった。宿泊客がチェックアウトし、午後の二時まではその日の宿泊客もまだチェックインしていないことが多く、ゆっくりと寛げるのだ。

一人湯船につかった。鳥羽博之のカルテについては、沼崎から聞いた話と一致した。電車の中に置き忘れた作家の原稿を、遺失物保管場所からようやく見つけ出したような気分だった。

風呂から上がり、作家の原稿を読み始めた。恋愛小説を書き始めた若手作家の原稿で、気になる箇所に付箋を貼った。

原稿を三分の一ほど読み終えた頃、ドアをノックする音が聞こえた。仲居が入ってきて、食事を何時頃にするかを尋ねてきた。

「ちょうどお腹もすいてきたところ。今からでもいいわ」

仲居はすぐに食事の用意をしてくれた。

「相変わらず客は少ないみたいね」

由香里が話しかけると、ご飯を茶碗に盛りながら仲居が答えた。

「ゴールデンウィークなのにお客様が少ない上に、郵政民営化でこのかんぽの宿も継続できるのかどうかはっきりしていないんですよ」
　経営がおもわしくないかんぽの宿が、大手企業に叩き売り同然で次々に売却される
ニュースが流れていた。以前なら仲居は他の部屋の食事の準備に忙しく「ごゆっくり
どうぞ」と部屋を出て行くが、よほど客がいないのだろう、座って由香里の食事に付
き合っている。
「買収でもしようとしている企業が現れたの？」
「それがですね、慈愛会病院がここを買いたいと言っているらしいんですよ」
「慈愛会がここを買うの」
「はっきりしたことは私たちにはわかりませんが、一ヶ月ほど前に上原先生と大田院
長が二人でこられたことがありました」
　慈愛会病院は聖徳会病院など足元にも及ばないほど健全経営をしていると由香里は
思った。しかし、旅館用に建てられた建造物を病院に変えるには、かなりの内装改造
費用がかかるはずだ。
「慈愛会病院もここからなら近いし、入院患者にとっては温泉治療もできるし、いい
かもしれないね」
「患者さんは喜ぶかもしれませんが、私たちの行き場がなくなります」
　仲居が笑いながら答えた。

食事が終わり、仲居がお膳を下げ、新しいお茶を運んできてくれた。由香里は残り三分の一まで原稿を読み進め、その晩は布団に入った。

翌朝は朝食の後、風呂に入って目を覚まし、残りの原稿を読み進めた。十二時までにチェックアウトすれば追加料金を払わずにすむ。残り数枚になった時に携帯電話が鳴った。

「わしだが、何時頃病院に戻れるんだ」

「もうすぐ仕事が終わるので、今からでも戻れるけど、何かあったの」

「それなら三時に戻ってきてくれ」

こう言って電話は切れてしまった。父親からの電話はいつもこんな調子で一方的に話をされて終わりだ。

約束の時間に病院へ戻ると、受付から二階の会議室に行くように言われた。ドアを開けると、長方形の机がコの字形に並べられ、すでに日野医師、直井医師、加藤看護師長が座っていた。それに四十代の二人の男性もいた。一人は赤銅色に焼けていて、漁師だとすぐにわかった。もう一人の男性は胸に弁護士バッジを付けていた。

「直井君も加藤さんもお前が来ているなら、出てもらった方がいいと言うので来てもらった」日野がぶっきらぼうな口調で言った。

直井が立ち上がり二人を由香里に紹介した。

「こちらは弁護士の森高志郎先生です。それと『レストア・キッドニ移植への理解を求める会』代表の向山隆次さんです。お二人とも日野先生が執刀された患者さんで、レストア・キッドニの移植を受けています」

「父がいつもお世話になっています。長女の由香里です」

席に着くと、向山が口火を切った。

「事件以後、私たちも手をこまねいているわけにもいかず『理解を求める会』を立ち上げましたが、厚労省はレストア・キッドニ移植を保険適用から外そうとしています。そうなれば助かる患者も命を失うことになります。なんとしてもそれは阻止しなければならないし、そうかといって現状のまま日野先生や協力してくれる病院にレストア・キッドニ移植の継続をお願いするわけにもいきません。それで私たちとしては、皆で力を合わせて裁判を提起し、レストア・キッドニ移植が継続できるようにしていきたいと考えています。訴訟については森高先生から説明してもらいます」

森高は風呂敷を広げた。すでに準備が整っているのか、分厚い書類のコピーが出てきた。

「裁判をするとか」日野も驚いて聞き返した。

由香里も突然のことで驚きを隠せなかった。

「今、向山さんから説明があったように、これは透析を受けている患者の生存権にかかわる重大な問題を秘めています。向山さんたちと何度も会議を開き、検討してきたことです」

森高が説明を始めた。原告は「現在、血液透析療法を受けている慢性腎不全患者、または、腎移植治療を受け、現在は移植された腎臓が機能しているが、将来その機能廃絶の恐れがあり、腎移植を受ける必要のある患者」たちだ。

「私や向山さんを含め、あと二人、合計四人がまず一次原告団として熊本県A地方裁判所に損害賠償請求の訴訟を起こす予定でいます」

さらに二次、三次の原告団も組織されつつあり、集団訴訟になる見込みらしい。

「被告は厚労省、上原議員、合同調査委員会に加わった四学会代表になります」

森高は現在進められている訴訟準備の経過を説明し、一ヶ月以内には訴状を提出することになるだろうと、見通しまで語った。

日野も直井も集団訴訟の話は知らされていなかったのか、面喰らってただ黙っているばかりだ。森高も向山も日野の意見を聞きたそうに視線を投げかけている。雰囲気を察して加藤が話し始めた。

「患者さんに接している時間が長い看護師の立場から意見を言わせてください。裁判をして、患者の権利というか、命を守れと叫ぶしか今のところ方法はないように私も思います。もちろんレストア・キッドニが次から次に提供されるわけではありませんが、こうした状況では、これまで協力してくれた病院もどうしていいかわからずに困っていると思います。一日も早く移植が再開できるように、やれることはすべてやるべきだと思います。今すぐにでも移植しなければ、亡くなってしまう患者さんを私たちは抱えています」

加藤の現場からの声に直井も口を開いた。

「私たち医師の立場からすると、積極的に裁判に賛成すれば、患者を煽っているようにも取られかねないので、慎重な立場というか、微妙な問題もあります。ですが患者の生命を守るという立場に立てば、私個人は訴訟の提起に大賛成です。それは日野先生も同じことだと思います」

直井は日野の思いを代弁するような形で意見を述べた。直井に促された日野は一言だけ付け加えた。

「患者自身が自ら判断したことをわしがとやかく言う筋合いでもない」

それを聞いてほっとしたのか加藤がさらに意見を述べた。

「慈愛会の大田先生は、激しく聖徳会病院を非難されていますが、慈愛会はうちに通ってくる患者さんを自分の病院に通わせたいというのが本音のような気がするんです。慈愛会で働いている看護師がいますが、なんでも透析専門の病院を造る計画があるようです」

「まだはっきりしたことじゃなかでしょうが」日野が口を挟んだ。

「まったく根拠のない話でもなさそうよ。加藤さんの聞いてきた話は」

由香里はかんぽの宿で仲居から聞いた話を伝えた。

「上原議員も一緒に視察に来ていたのですか」森高が確認を求めてきた。

「視察かどうかわかりませんが、大田院長と二人で見に来たようです」

「調べてみます」森高は由香里の話をメモした。

会議は一時間ほどで終えた。

由香里は慈愛会病院の経営状態は思ったほどよくなくて、透析患者を取り込もうとしているのではと想像してみた。日野バッシングの背景にはそうした経営問題があるのかもしれない。経営的危機を回避するために、臓器移植を推進する日野医師に必要以上の批判を浴びせかけていると仮定すれば、大田院長の行動も理解できる。票田を抱える大田の背後で上原議員が聖徳会潰しと日野医師の失脚に協力している。由香里はそんなことを想像した。

聖徳会の事務局に古くからいる佐野事務局長に由香里はそれとなく尋ねた。

「慈愛会病院の経営は苦しいのかしら」

佐野には間の抜けた質問にしか思えなかったのだろう。

「うちの病院よりはるかに向こうの経営は安定していますよ」

「それは確かなの？　慈愛会は透析患者専門の病院建設の計画があるそうよ」

佐野に自分の疑問をぶつけてみた。

「慈愛会にも透析患者はもちろんいるけど、うちよりは少ない。だからといってうちの透析患者を必要とするほど経営には行き詰まってはいないと思いますよ」

「そうか……」

由香里は拍子抜けした声で言った。

「慈愛会には桜井というやり手の事務局長がいて、彼が数字を全部把握し、無駄な経費は一切出さないように目を光らせています。大田一族は全幅の信頼を桜井に寄せているようです」

一週間はあっという間に過ぎて由香里は東京に戻った。

第十二章　映像破壊

樹海の遺体は沼崎がまったく予想もしていない展開を見せている。何かに追い立てられるような緊張感がずっとまとわり付いている。虹橋空港の管制塔が視界に入ると、沼崎は全身の筋肉が弛緩していくような安堵感に包まれた。

日本航空のフライトに空席があったのを確保することができた。あとは搭乗手続きをすませ、出発ゲートで時間が来るのを待つだけだ。空港に着くと、出発時間まで十分余裕があるためか、搭乗手続きカウンターに並ぶ乗客はまだまばらで、沼崎の前にはビジネスマン風の男が二人と老夫婦がいるだけだった。

沼崎の携帯電話がなった。日本からの連絡だと思い、番号を確かめずにすぐに出た。

「ミスター沼崎ですね」

王小芳だった。買い与えた携帯電話で早速かけてきた。

「すぐに『赤坂』まで戻ってもらえませんか」

「どうしたの……」

周囲に誰か人がいるらしく騒がしい物音が聞こえてくる。

「話したいことがあるんだ。戻ってもらえるよな、沼崎さん」

彼女に代わって日本語で話しかけてきたのは船橋だった。脅迫するような口調だ。沼崎は沈黙した。このまま搭乗手続きをすませてしまえば、スクープを流すことができる。

「王小芳が戻ってきてくれって頼んでいるんだよ」

「わかった」

手記掲載と同時に命を絶った女性の記憶が脳裡をかすめる。

沼崎は電話を切った。相手の目的はなんだかわからないが、このまま帰国すれば王小芳の身に何か起きる可能性がある。帰国はできない。

撮影した陳安博医師と船橋、王一家の映像は二枚ずつ四枚のメモリーカードに保存してある。一組はケースに入れてビデオカメラのバッグにしまってある。もう一組はパスポートに挟みこんで持っている。沼崎はパスポートからメモリーカードを二枚取り出した。

「突然申し訳ありませんが、お願いがあります」沼崎が切りだした。

老夫婦が何事かと訝る。

「実はG局テレビの取材で来ていましたが、追加の取材が入ってしまって、このフライトでは帰れなくなりました。このメモリーカードに上海取材の映像が入っています。予備のコピーは作成してありますが、なるべく早く東京のスタッフに届けたい映像なんです。私からだと言って、イフプロに届けてもらえないでしょうか。かかった交通費などの費用については、私が帰国した後お支払いします」

沼崎は名刺を差し出した。

「わかりました。私たちの家は長野ですが、今日は都内のホテルに泊まります。間違いなく明日には届けます」

老夫婦は快諾してくれた。沼崎は老夫婦の名前と電話番号を手帳に書き記すと、タクシーを拾い「赤坂」に急いだ。

正体はすでにばれている。やはり船橋は見た目とは対照的に猜疑心の強い男だった。しかし、どうやって沼崎の正体を見抜いたのだろうか。

タクシーが「赤坂」に着くと、ドアの前には誰もいなかった。中に入ると、フロアの奥の方だけに明かりが点されていた。アルコールと料理に用いた油の臭いが充満していた。

四人の男に囲まれ、怯えた表情の王小芳がいた。

「大丈夫か」

近づくと男たちに取り囲まれた。船橋はそこにはいなかった。

「船橋はどこにいるか聞いてくれ」

王小芳が伝えると、男たちは何も言わずに、沼崎からバッグを奪い取った。取り戻そうとすると、二人に押さえ込まれ床にねじ伏せられた。一人は隠し持っていた拳銃を沼崎の後頭部に押し付けた。

「逆らわないで。この人たちは平気で銃を撃ちます」

王小芳の声に沼崎は抵抗するのを止めた。男たちはバッグから出したすべてのものを床に並べた。沼崎のポケットに入っているものもすべて取り出した。彼らが強盗ではないことはすぐにわかった。

財布からドル、円紙幣、中国の元紙幣を抜き取ると、床に放り投げた。パスポートケースもすべて丹念に確認している。

バッグの中身も下着一枚一枚、何も隠されていないかを見ている。ケースに入っているメモリーカードを発見するとポケットにしまい込んだ。

一人の男が携帯で電話をかけた。中国語で二言三言話すと、沼崎の耳元に携帯電話を寄せた。

「勝手なことをされては困るんだよ。日本人の移植を希望している患者を救うためにも、余計なことはしないでほしいね。いいですか、沼崎さん、我々はずっと王小芳を監視していることを忘れないように」

電話はすぐに切れた。男たちはビデオカメラとノート型パソコンも持ち去っていった。しかし、下着に包んだ手鏡は無事だった。

「誰なんだ、あいつらは」

「船橋が雇った殺し屋です」

沼崎は散乱している下着をバッグに詰め込み、紙幣をかき集めると、「とにかくここを出よう」と王小芳を連れて外に出た。

「赤坂」を出て、しばらくあてもなく沼崎は後ろを振り返りながら歩いた。尾行されている可能性がある。十分ほど歩いたが後からついて来る人間はいなかった。

通りがかったタクシーを止めて、二人は乗った。

「チップを弾むから、上海市内を回るように言ってくれ」

沼崎は王小芳に頼んだ。すでに日は落ちていた。沼崎はフロントガラスに広がる上海の夜景をずっと見据えたままだ。

昨晩、飲んで別れた後、船橋は上原か大田に連絡を取り、今野達也やその妻と並川良子が本当に交流があったかどうかを確認したのだろうか。もし今野が架空の人物だとわかったとしても、沼崎だとすぐに正体を見抜かれることはないだろう。それに隠し撮りも知られていないはずだ。もしわかればホテルを急襲され、ビデオカメラやメモリーカードを奪われていただろう。

王小芳の両親を取材したのは、わずか数時間前のことだ。それを船橋に知られたとしか考えようがない。気づかないうちに尾行されていたのだろうか。

「君が今朝、私に会いにきたことを知っている人間はいるかい」

「寮を出る時、ホテルから戻ったばかりの楊麗とすれ違ったけど、どこに行くかは知らなかったと思います」

「君が王小紅の妹だと知っているホステスは？」

「姉の情報が入るかもしれないと思ってあのクラブで働くようになりました。だから皆知っているはずです」

船橋も警戒していたことは十分に想像がつく。沼崎の思考はコマ送りのビデオ映像のようで、自分でももどかしかった。

タクシーは南京路の渋滞に巻き込まれた。

「夜景はもう十分だから、どこの路地でもかまわないから走るように言ってくれ」

二階の窓から竹やりのように突き出た無数の物干し竿の下をタクシーは潜るようにして走った。路地は車やオートバイが走り抜けていくのに、家の前に雀卓を置いて家から漏れてくる明かりを頼りに老人たちが麻雀を囲んでいた。

沼崎は後ろを注意深く何度も振り返った。尾行してくる車はなかった。

「もう一度、君の実家に行くように運転手に言ってくれ」

「これからですか」

「どうしても確かめたいことがあるんだ」

実家に着いたのは、日付が変わる頃だった。

タクシーを待たせたまま、二人は王小芳の実家のドアを叩いた。深夜の訪問に、両親はすぐにドアを開けようとはしなかったが、娘の声にドアが開いた。

両親は食事用のテーブルに腰掛け、沼崎と王小芳はソファに座った。

「昼間、私たちが帰った後、何か変わったことが起きなかったか聞いてほしい」

王小芳が沼崎の質問を両親に伝えた。

「変わったことは何もなかったが、すぐ後にお前の友人だという男二人が訪ねてきたよ。ここで待ち合わせる約束になっていたと言っていた」

父親が答えた。

「エッ、そんな約束はしていないわ。誰なの、その二人は」

娘の戸惑う姿に、両親は顔を見合わせているだけだ。

「お前と同じレストランで働いている料理人だと言っていたがなあ」父親が付け加えた。

王小芳は父親の返事を沼崎に通訳した。

「その二人にどんな話をしたのか聞き出してくれ」

「日本人が何をしに来たのかを気にしている様子だった。長女の写真を見せてやると、富士山の麓で死亡しているかもしれないと言われ、私たちをカメラで撮影をしていったことを話した」

「赤坂」に沼崎を呼び出したのは、明らかにビデオカメラや撮影したデータを奪うつもりだったからだ。

「それから男たちはどうしたの」王小芳も苛立ちを両親に向けて弾き飛ばすように聞いた。

「一人の男が携帯電話を取り出して、外で電話をかけていたよ」母親が答えた。

「どんな内容を話していたかわかる」

王小芳にも聞き出すべきことがわかっていた。

「外で話していたのでわからんが、家に入ってきたら、日本から来たあなたの名前を聞き、王小紅の写真を我々にも見せてほしいと言ってきたよ」

その先は改めて聞くこともなかった。部下の報告から沼崎が腎移植の取材を進めていたと、船橋は悟ったはずだ。

「よく聞いてほしい。お姉さんの件はもしかすると、いや間違いなく日本と中国の国際的な問題に発展すると思う。君は姉の消息が知りたいと思って、『赤坂』で働いたのだろうけど、君があの店で働きだした直後から船橋に監視されていたはずだ」

王小芳も同じ結論に達したのだろう。何も言わずに血が逆流したような顔をしている。

「もうすぐ夜が明ける。私はこのまま空港に行って、日本へ戻るけど、君はもうあの店にはいかない方がいい。お姉さんの件がはっきりするまでしばらくはご両親と一緒に過ごした方が安全だと思う」

王小芳と両親に見送られて、外に出ると運転手はリクライニングシートを倒して熟睡していた。東の空は闇から群青色に変わろうとしていた。

「これから虹橋空港まで行ってあげて」

「一晩で三日分の売り上げだよ。行けというなら北京まで走ってもいいよ」

運転手はいっぺんに目が覚めた様子だった。


成田空港に着くのと同時に、沼崎は虹橋空港でメモリーカードを託した老夫婦に電話を入れた。

「沼崎ですが、昨日はご迷惑をおかけしました。今、成田に戻りました」

「先ほどイフプロに出向き、野呂さんに直接お渡ししました」

メモリーカードは無事に着いた。野呂に連絡を入れると、報道スクープの平山プロデューサーにすでに回したという返事だった。平山の携帯電話を呼んだ。

「今、成田です」

「すごい映像ですね。今、見ているところです。一刻も早く報道したいですね」

「もう少し取材して裏を取りたいことがあるので、それをすませてから編集作業に入りたいと思います」

沼崎は富士吉田署の白井に電話を入れた。

「大至急、お会いしたいのですが……」

白井の都合によっては、このまま富士吉田署に直行する必要がある。上海取材の概略を聞くと、「お待ちしています」という返事だった。成田エクスプレスで新宿に出て、そこからは中央線に乗り換え大月に出ると、富士吉田には夕方の五時までに着けそうだ。

大月駅で富士急行線に都合よく接続していた。白井に到着の時間を告げると、迎えの車を回すと言ってくれた。富士吉田駅には黒塗りの警察車両が待機していて、窓から白井が「こちらです」と声をかけてきた。

後部座席に乗ると、助手席に乗っている白井が後ろを振り返りながら聞いた。

「危なかったですね」

「一瞬、どうなるかと思いましたが実害はビデオカメラとパソコンだけです」

「沼崎さんの情報は上司の葦沢部長にも伝えてあります。部長も沼崎さんの話をお聞きしたいと署の方で待機しています」

樹海の遺体は臓器移植を巡る日中間の国際的な事件に発展する様相を見せ、現職の国会議員も関与している疑いさえある。富士吉田署の上層部も本格的に動き始めようとしているのだろう。

富士吉田署に着くと、応接室に通された。すぐに葦沢部長が姿を見せた。

「捜査に協力します。その代わり記者クラブを通じての情報提供には配慮していただきます」

「各社の求めに応じて事実は報告させてもらいますが、それはもちろん沼崎さんが報道された後ということになります。その点は十分に理解しているつもりです」

葦沢部長が答えた。

「ありがとうございます。それともう一点、上海で暮らす女性の身に危険が及ぶことも十分に考えられるので、富士吉田署から上海の警察当局に働きかけてもらい、彼女の安全が確保されてから私も報道に踏み切ろうと思っています」

こう言って、沼崎は上海に着いてからの状況を二人に説明した。白井は沼崎の話を一言一句聞き逃すまいと、メモに集中している。

「すると樹海の遺体は王小紅で、彼女の腎臓が上海の病院で日本人の誰かに移植された可能性がある。その移植にコーディネーターの船橋甫が関与している。さらに船橋の手先によって、ビデオカメラと記録したメモリーカードが強奪されてしまったということですね」

葦沢部長が確かめるよう聞き返した。

「そうです」

沼崎は取材した映像のメモリーカードが存在することはあえて伝えなかった。

「遺体が王小紅だという証明するものは証言だけですか」

葦沢の顔に失望が浮かぶ。

白井には手鏡の存在は伝えてある。

沼崎はバッグを開き、洗面具ケースから手鏡を取り出した。

「王小紅が化粧の時に使っていたものです」

葦沢は白井に目で合図を送ると、白井は応接室の電話で鑑識課を呼んだ。鑑識のスタッフが部屋に入ると、手鏡に付着している指紋と樹海の遺体との照合を命じた。

「それで今後のことですが……」

白井が言いかけたところで葦沢が遮るように言った。

「指紋の照合結果は、必ず沼崎さんに伝えます。それと捜査状況についてですが、可能な限りお伝えしたいと思います。しかし、すべてをというわけにはいきませんのでご了承ください。報道の立場から王小芳の安全確保をご心配になられていますが、当然それは我々も配慮しなければならないし、中国当局と連携して捜査を進めていくことになるでしょう。それと報道するタイミングですが、現職の国会議員が絡んでくる可能性があるとすると、慎重の上にも慎重を期さなければなりません。報道が先行すれば、捜査に支障をきたすことも考えられます。他社への情報漏れは絶対にありません。ですから信頼関係の上で、ランディングの歩調を合わせたいと思いますが、いかがでしょう」

「わかりました」

沼崎は葦沢の申し出を了承した。

再び富士吉田署の車で駅まで沼崎は送ってもらった。

車を降りると、「ちょっと駅まで付き合ってもらっていいですか」と白井を誘い出した。

「これは報道スクープの威信をかけた総力取材になると思います。取材状況は個人的に白井さんに流すようにします。白井さんに迷惑にならない程度でいいですから、公式情報以外に提供できるものがあればよろしくお願いします」

白井も沼崎の真意がわかったのか、「またいっぱいやりましょう」と含み笑いを浮かべながら答えた。

上海から帰国して十日目、痺れを切らして沼崎が電話を入れようと思っていた矢先に白井から連絡があった。

「まず指紋の件から報告します」

物的な証拠がない限り警察は動かない。沼崎は緊張しながら白井の次の言葉を待った。

「樹海の遺体の指紋と、手鏡から検出された二つの指紋のうち一つが完全に一致しました」

樹海の遺体は、王小紅と判明した。

「すでに上海の警察当局と情報交換をしています。外交ルートを通じてやるべきことはやっていますが、その間にも王小芳の身に危険が迫っていると判断して、上海警察にダイレクトで協力を求めています」

「すぐに上海警察は動いたのでしょうか」

「いいえ、すぐというわけではありません。反日感情がこういう時には障壁になります。ただ自国民の臓器が日本人に移植されていたとなると、無視しているわけにもいかなかったのでしょう」

「それで王小芳の安全は確保できたのでしょうか」

「この点については上海警察の威信がかかることになるので、まずは大丈夫だと思います。安心してください。ここからは私の独り言というか、想像だと思って聞いてください」

「了解しました」

「近いうちにインターポールを通じて、被害届の提出を求める手紙が沼崎さんのところに届くと思います。早急に奪われたビデオカメラとノート型パソコンの製造番号を私に教えてくれますか。上海当局に先に伝えます。船橋はすでに上海の公安当局の監視下に置かれていると思います。被害届はいつでも船橋の身柄を拘束できるようにしておきたいという当局の思惑だと思います」

沼崎は製造番号を白井に伝えた。

その直後に王小芳の携帯電話を呼んだ。

「上海警察が訪ねてきて、姉が上海の『赤坂』で働くようになった時の人間関係と日本で消息を断つまでの経緯を詳しく聞いていきました」

沼崎は上海警察が王小芳から事情聴取をしているのを聞き、安全は確保されたと思った。

第十三章　取材拒否

上原議員と並川順造、大田医師の三人からは上海で行われた腎臓移植について取材しなければならないと沼崎は思った。しかし、すでに船橋から連絡は届いているはずだ。簡単には会ってくれないだろう。会ったとしても真実を語るはずもなかった。

上原、大田は正式に取材を申し込めば、公的な立場にいる二人は取材拒否できない。相手も警戒しながらも沼崎の動きを知りたがっているだろう。最初のターゲットを上原に選んだ。

衆議院議員会館に連絡すると、秘書は決まりきったように企画書を送ってほしいと答えた。日野医師の腎臓移植手術、特にレストア・キッドニの移植について、どのように考えているのか。今後、聖徳会日野病院、日野医師、あるいはレストア・キッドニの移植についてどのような対応策を考えているのか、それらを取材したいと意図を簡単に記したファックスを議員会館に送付した。

秘書からの返事はすぐ入った。三日後の午後二時から三時までの間の三十分間を取材時間にあてるが、会議や打ち合わせが延びる可能性もあるので、二時から議員会館で待機していてほしいということだった。

約束の日、地下鉄永田町駅を降りて地上に出ると、並木のイチョウが青々とした若葉をつけ始めていた。

上原議員の部屋は六階にあった。議員秘書は男性と女性の二人で、狭いスペースに机を二つ置き、来客に対応していた。客は二人が座ればはみ出してしまいそうな小さなソファに座って、面会の順番待ちをしなければならない。どこの議員室も秘書と議員本人の部屋に分かれ、奥が議員室になっている。

取材依頼の対応してくれたのは横路という女性秘書だった。沼崎が名刺を出すと、「もうすぐ終わると思いますので、少々お待ちください」と言って、横路は冷たい麦茶をセンターテーブルに置いた。

麦茶を半分ほど飲んだところで先客が部屋から出てきた。丁重に客を送り出すと、横路は沼崎を部屋に案内した。時計を見ると二時十五分で、約束は三十分だが三時までは取材ができそうだ。窓際に議員の机が、その前にソファが置かれ、壁際には医療関係の本が納められた本棚があった。

上原は日野医師の移植手術を「人体実験」とまで言い、激しく非難していたが、直接会ってみると意外なほど温厚な印象で、厚生労働省のドンと囁かれるような雰囲気はまったくない。

「お待たせしました。腎臓移植の件でお答えすればいいのですね」

ソファに深々と身を沈めるようにして座り、横路に資料をもってこさせた。

「その資料に、今回の日野医師の腎臓移植に関する私の見解を記してあります。報道される時は、それをコメントとして使ってもらえればと思って用意させていただきました」

横路から渡された資料を捲ってみた。これまでに新聞や週刊誌に掲載された日野医師批判はこの資料からの引用だとすぐにわかった。

「この資料と重複するかもしれませんが、質問させてください」

胸ポケットからＩＣレコーダーを取り出してスイッチを入れた。

「聖徳会病院で行われた移植手術の実態を合同調査委員会が行いましたが、六学会のうち四学会だけの声明に留まり、二学会は署名を拒否したようですが、これについてはどのようにお考えですか」

この質問もすでに各社の記者から聞かれたのだろう。上原は立て板に水を流すように答えだした。

「合同調査委員会の調査メンバーがそれぞれの良心に従って下した判断だと思います。すべての委員が同じ結論に至らなかったとしても、それは仕方のないことです」

「しかし、今後の移植をどう進めるのか。見解が分かれたのでは舵取りが難しくなるのでは」

「移植については、論議が尽くされていないと思います」

「臓器移植法が施行されてからもう十年以上が経過しています。論議が尽くされていないとしたら、どの点が尽くされていないのでしょうか」

「脳死を人間の死と認めて、脳死から提供された臓器は移植できるようになりましたが、脳死移植はいっこうに増えていません。日本の精神風土からすれば、提供は善意が前提になり、無償でなければならないという固定観念に支配されています。まずこの点についてもきちんと議論がなされてこなかったのではないでしょうか」

沼崎は上原の言葉に違和感を覚えた。まるで有償で臓器提供、つまり臓器売買を認めているようにも解釈できるからだ。訝る沼崎の表情を読み取ったのか、

「誤解しないでください。私は臓器売買を認めると言っているわけではありません」

そう前置きしながら上原は続けた。

「医療が進むことによって、これまでの医療従事者には考えも及ばなかったことが現実になっています。移植医療もその一つです。臓器売買は禁じられています。しかし、現実にはそれに近いことは起きているのです。例えば、兄が弟から臓器の提供を受けた場合、弟に遺産が多く渡るように手続きを行ったり、あるいは現金を与えることなども起きたりしています。家族間の生体移植は認められているから、法律的には問題になりませんが、これだってある意味の臓器売買と言えるのかもしれません。

ご存じのように中国やフィリピンでは堂々と臓器売買が行われています」

上原の言う通り、確かに日本の臓器移植法は、善意が前提になっていて、善意であるが故にいっさいの金銭は介在しないという建て前になっている。しかし、現実には上原が指摘するようなことは起きているのだろう。

「上原議員は臓器移植法の成立に大きな役割を果たしたというのが世間一般の見方ですが、実際は移植法に反対ということですか」

「ですから誤解なきようにと最初に申し上げました。私は現在の移植法が改正でもされたら大変なことになるとさえ思っています。もし提供される臓器に値段がついたとしましょう。それでなくても移植を望み順番待ちをしながら亡くなっていく患者はたくさんいます。もし、経済的に余裕のある人だけが救われていく社会になったとしたら、考えただけでも恐ろしくなりませんか」

「移植を待ちながら亡くなっていく患者はたくさんいるが、現行法は一部の人間だけが移植の恩恵に預かるという不平等に歯止めをかけている。つまり死も平等に訪れるとおっしゃるわけですか」

「多少言葉のニュアンスは違いますが、平等性は現行法で保たれていると考えています」

「日野医師が行ったレストア・キッドニの移植ですが、インフォームドコンセントに問題があったことは聖徳会病院も認めているようです。またレシピエントの選択にも平等性が保たれていたかも定かではありません。この二点の問題をクリアすればレストア・キッドニの移植は認められるべきだとお考えなのでしょうか」

「そうではありません。日野先生の移植手術は実験的な要素があまりにも大きすぎます。がんの再発、転移が今のところないからと、それを根拠にしていますが、オーストラリアのデータを加味しても日野先生が執刀された四十二例の結果が果たして根拠となりうるのか、やはり聖徳会病院には真摯に反省していただきたいと考えています。現段階ではレストア・キッドニの移植は医療行為とは考えられません。もしこうしたことを進めるのであれば、国の管理下で、それこそドナーとレシピエント両者にインフォームドコンセントを成立させ、その上で万が一再発、転移があったとしても最大の医療が行える体制の下に行われるべき先端医療で、実験的な要素はすべて排除されなければなりません」

「医学はすべて実験を重ねることで進歩してきたことは否めないと思います。実験的であったとしても例えば透析患者が自分の余命は三年から五年と判断し、三年から五年後にがん発症の可能性があるレストア・キッドニの移植を受けるか否か、どちらを選択するかは個人に委ねられるべきではないでしょうか」

「レストア・キッドニの移植を認めれば、それこそ無秩序に移植が行われ、がんが再発、転移してもレシピエントの自己責任ということになる。医療側はレシピエントががんになっても致し方ないと考える。どうせ余命は限られているのだからと丁半博打のようにレストア・キッドニの移植が横行する。果たしてそれが医療と呼ぶに値するものなのか。医療行政に携わるものとしてはこんな無秩序なことを認めるわけにはいきません」

「レストア・キッドニも死体からの移植も、不必要になったものを、必要とする人たちに移植することで、本質的には何も違わないと思います。また、がんの腎臓はいけないということですが、ドミノ肝移植はまさに病気の肝臓を用いた移植です。何故腎臓だけは認められないのか。どうしてもすっきりしないものが私には残ってしまうのですが……」

最初は日野バッシング一色だったマスコミも、冷静さを取り戻し、レストア・キッドニ移植容認に傾く論調も見られた。

「ご質問の件ですが、格差社会と言われ、経済的な落差が広がりを見せている今日、レストア・キッドニを認めることの方が、はるかにマイナス面が多いように思います」

「レストア・キッドニ移植を巡る問題は方向性を誤ると、助かるべき患者も命を失いかねません。四学会の声明が出された現在、今後移植をどのように進めていくのか、それを聞かせてくれませんか」

「今後、聖徳会病院、あるいはレストア・キッドニ移植については、厚生労働省の担当者、移植に関心を持つ議員、有識者で会議を重ねながら対応していくつもりで、この場でこうすると結論を出すわけにはいきません」

上原は何気ない素振りで壁に掛けられた時計を見た。三時まではまだ二十分ある。本当に知りたいことはまだ聞いていない。

「実は並川良子さんにも直接お会いして、上海で移植を受けたことを知りました。上原議員は海外での移植について批判的なご発言をされていたと記憶しているのですが」

上原の額からは玉の粒のような汗が噴き出してきた。並川良子に話題が及ぶのを嫌がっている様子が明らかにうかがえる。

「そのことはもちろん承知しているが、夫婦二人で出した結論であって、私個人が関与できる問題でもない。それについてはコメントすることはできません」

「そうですか……。しかし、海外移植コーディネーターの船橋氏からは並川氏は当然ですが、上原議員も移植に尽力されたと聞いていますが、事実はどうなのでしょうか」

相手を引っ掛けるような質問をしてみた。

「いっさいコメントする気はありません」

「それではもう一点お聞かせください。私の取材では、上原議員と日野医師は古くから付き合いがあると聞いているのですが……」

上原は途中で沼崎を制して答えた。

「お互いに隣接する市に住んでいるし、面識くらいありますよ。それに選挙の協力をお願いしたこともあります」

ドアの横で立ったまま取材のなりゆきを見守っていた横路に上原が視線を送った。それが合図であるかのように横路が割って入った。

「そろそろお約束の時間です。次のスケジュールもありますので、取材はそろそろ切り上げていただけますか」

上原はソファから立ち、自分の机に座りそらぞらしく資料整理を始めた。退席を求める横路を無視して聞いた。

「レストア・キッドニが実験的医療とおっしゃっていますが、それにもかかわらず何故日野医師に良子さんの移植手術を依頼したのでしょうか」

資料を整理する上原の手が完全に止まり、沼崎を刺すような視線でにらみつけてきた。

「日野先生から何を吹き込まれたか知らんが、そんなたわごとに答えるつもりはない。

帰ってくれたまえ」

横路がドアを開けて、「どうぞ」と言った。

「たわごとではありません。私は実験的医療と言っている上原議員が自分の娘にはレストア・キッドニの移植を日野医師に依頼していた事実は、上原議員の日野医師批判を根底から覆すものになりかねません。これについては明確な回答をください」

「君もくどい。帰りたまえ」

上原議員が強い調子で言った。困り果てた顔をして横路が「お帰りください」と退席を促した。

追い出されるようにして沼崎は退室した。無駄だと思ったが、議員会館一階の待合室から大田と並川にも取材を申し込んだ。上海で移植手術を行う時は、慈愛会病院で移植に必要な検査を受けることができると船橋は言っていた。海外移植の斡旋行為を行っている病院の院長が、レストア・キッドニ移植の調査に当たること自体に大きな問題がある。

大田もそして並川順造も貝のように口を閉ざしてしまった。

沼崎にはもう一ヶ所取材を申し込まなければならないところがあった。共健製薬だ。

「報道スクープの記者をしている沼崎といいます。船橋甫さんについてお話をうかがいたいのですが、担当の方をお願いします」

しばらく間があってから、「あの、どういった取材なのでしょうか」と沈んだ声で聞き返してきた。船橋甫が共健製薬に籍を置いていたのは事実なのだろう。

「それはお会いした時に説明します」

「しばらくお待ちください」という返事があってからさらに数分間は保留のままで、何の返事もない。担当者と対応の仕方を協議しているのだろう。

「お電話代わりました。総務の根本と申しますが、船橋はすでに退職して弊社とは何の関係もございません。コメントする立場にありません」

「船橋さんは何故会社を辞められたのでしょうか」

「そんなことは答えられません」

根本は受話器を叩きつけるようにして電話を切ってしまった。

イフプロに顔を出そうと思い、髭を剃っていると携帯電話が鳴った。

「共健製薬の鍋島さんという方から報道スクープの方に電話が入り、対応に困っていると平山プロデューサーから電話が入ったぞ」

野呂が不満そうに言った。

「これから出社するので、打ち合わせをしましょう」

テレビ局にまで探りを入れてくるようでは、円満退社どころかかなりのトラブルがあって退社したに違いない。

沼崎がイフプロの三階に行くと、打ち合わせを中断して野呂が走り寄ってきた。フロアの隅に置かれた来客用のソファに二人は腰を下ろした。

「グローバル《Ｇ》＆ジャパン《Ｊ》広告社からもクレームが入ってきたらしいよ。いったい何をしているんだよ」

Ｇ＆Ｊ広告社は日本最大の広告代理店で、共健製薬のテレビＣＭを担当していた。報道スクープにもＧ＆Ｊ広告社を通じてＣＭが流れている。思ってもいなかった展開に言葉を失ったのは沼崎の方だった。

「沼崎、聞いているのか」

向き合うように座った野呂が身を乗り出して言った。

怒気を含んだ野呂の声に我に返り、沼崎は上海取材で得た情報を伝えた。

今度は野呂が沈黙した。二人は石のように黙り込んでしまった。

重苦しい沈黙に耐え切れず最初に口を開いたのは沼崎だった。

「どうせ局側は慌てふためいているんだろう」

「その通り」野呂が反射的に答えた。

「俺は船橋が共健製薬にいたのかどうか、その事実を確認するために電話しただけなのに、明らかに過剰反応だよ」

「俺もそう思うが……。背後には何かあるな。これ以上刺激して上層部にまで話が回るとやりにくくなるので、上海で移植手術を受ける日本人、そして移植を行っている病院、中国人医師を取材に行ったということにしよう。船橋から取ったコメントもニュースに使う予定なので、彼の証言のウラを取らせてもらったということで、鍋島に会ったらどうだろうか」

沼崎はソファから腰を上げると、自分のデスクに戻った。パソコンと電話が置かれ資料のコピーと本が積まれている。椅子に座ると共健製薬に電話を入れた。

鍋島はまるで沼崎の電話を待っていたかのようにすぐに出て、今日にでも会いたいと言ってきた。

「では三十分後に会社をお訪ねします」

会社の前からタクシーに乗った。相手はG&J広告社から圧力をかけたつもりでいる。沼崎が取材内容をすべて話すと思っているだろう。鍋島がどんなポストに座っている人間なのかわからないが、沼崎は煩わしいとしか思わなかった。

スポンサー気取りで広告代理店を通じて圧力をかけてくる会社ほど、逆に内実は脆く、プロデューサーが心配しているような広告減収につながることなどほとんどないのだ。

すねに傷を持つからウラから手を回し穏便にすませようとする。しかし、ニュースがいったん世に出てしまうと、傲慢だったスポンサーも手のひらを返してＣＭを継続することが多い。ＣＭを止め、メディアにそれ以上スキャンダルを流されたら被害がさらに拡大するからだ。

共健製薬は港区赤坂にあった。起伏のある稜線を描くビル群の中にあり、十二階建てのビルで歩道から会社名を記した看板が目に留まった。通りに面した一階の窓側にはソファが五組ほど置かれ、来客と打ち合わせができるようになっていた。

一階フロアの左手奥はカウンターになっていて、三人の女性受付が並んで座り、沼崎が近づくと営業的な微笑みを一斉に浮かべた。真ん中の席に座った女性に名刺を出し、「鍋島さんに取り次いでください」と告げた。女性は名刺を確認すると席を立ち、カウンターから外に出てきて沼崎をエレベーターに導いた。

沼崎が乗ると、最上階のボタンを押して「鍋島専務がお待ちしています」と言って受付嬢はエレベーターから降りてしまった。十二階に着くと、エレベーター前で三十代半ばの女性が待っていた。

「沼崎様ですね。お待ちしていました」

鍋島専務の秘書らしい。彼女は沼崎を専務室に案内した。

「沼崎様が到着されました」

彼女はこう言うと部屋から出ていった。鍋島が背にしている窓の向こうには赤坂プリンスホテルが見えた。新聞を机に放り出すと、椅子から立ち、机の前に置かれたソファに深々と腰を下ろし、沼崎にも座るように勧めた。

再びドアが開き、秘書がコーヒーを運んできてセンターテーブルの上に置いた。

秘書が姿を消すと、

「お忙しいのにご無理をお願いして申し訳ありません」

鍋島が頭を下げた。対応は沼崎が予想していたものとは異なって丁重そのものだ。

「上海から戻ったばかりで、どのようなニュースにするかもまだ決めていないのに何事かと驚いています」

「総務の根本から船橋について取材依頼があったと聞いたもので、すでに退社した人間ですが誤解を生じないようにしておきたいと思ってご足労願った次第です」

鍋島はどこまでも下手に出てきた。しかし、卑下している様子は微塵もなく、口調は威圧的だ。

「上海に行ったのは、日本人の患者に対して臓器移植手術を行っている病院があると聞いたので、それを取材するのが主な目的です」

沼崎は思わせぶりな答えを返した。

「中国だけではなくフィリピンなどで移植を受ける患者もいるようですね。日本の移植状況は、死者を傷つけたくないという日本の宗教観があるせいなのか、臓器提供の数はいっこうに増えていませんからね」

「実際に手術を行っている病院が存在するのか、ドナーの確保はどうしているのか、そもそも日本人の患者をどうやって集めるのか、疑問だらけでした。そんな取材を進めているうちに、船橋さんと知り合うことになったわけです」

「彼は上海でいったい何をしていたのですか」

「海外移植コーディネーターとおっしゃっていましたが」

「根本から説明があったと思いますが、船橋は弊社を退社し、今ではいっさいの関係はありません。また弊社が海外移植とかかわるような事実はいっさいありません」鍋島は声を荒らげて言った。

船橋が社員であろうとなかろうと、沼崎はそんなことには関心がなかった。

「では元社員という形で報道すれば問題はありませんね」

沼崎は席を立とうとした。鍋島は不意に平手打ちを喰らったような顔に変わった。

「待ってください。どのようなニュースになるのか、差し支えなければお教え願えませんか」

「今説明したように上海における日本人への臓器移植手術の実態と、日本人への臓器提供のルートを解明する報道になると思います」

「船橋もその移植に関与しているのでしょうか」

「そういったことについて報道する前にお話しすることはできないし、答えるつもりもありません」

鍋島は胃が痛いのか腹部に手をやり、しきりにさすっている。

「何故、そんなに船橋にこだわるんですか」

「オフレコということで聞いていただけると、船橋についてお伝えすることができるのですが」

「船橋が堅気の人間でないことくらいわかっています。ニュースソースは明かすつもりもないし、鍋島さんからの情報は報道しないと約束しますよ」

鍋島の顔に少しだけ安堵の表情が浮かんだ。

「船橋は諭旨免職になったんです」

「どんな理由で」

「マスコミに知られたら会社にとってはイメージダウンにつながるので、緘口令を敷き事実は外部に漏れないように代理店にも動いてもらいました」

沼崎は鍋島が続けるのを待った。

「お恥ずかしい話ですが、船橋のセールス実績は常にトップクラスでした。総合病院、個人経営の病院にしろ、契約件数、薬品売上げ、どの数字を取っても申し分ありませんでした。松嶋常務の信頼も厚く、九州管内の営業はすべて彼にまかせようというところまで来ていたのです」

「その船橋がいったい何をしでかしたんですか」

免職の理由は女性問題か金だろうと思った。

「彼は優秀な社員で病院や医師が欲しがっている薬効データや実際に投与した患者の治癒経過、治癒率なども学会発表のデータを調査し提供することに優れていました。しかし、医療に従事する者として、いや人間としてやってはいけないデータをまとめて、それをある医療機関に提供したのです」

鍋島の口が重くなった。

「本人は依頼されたからと主張していますが、腎臓移植の手術代及び移植後の医療費と透析を継続した場合の医療費を、それぞれ生存年数に分けて算出したんです」

慎重に言葉を選びながら話しているのが伝わってくる。

「その試算がどうして人間としてやってはいけないデータになるのでしょうか。特別問題があるようには感じられませんが」

「その試算を引き合いに一人腎臓移植を行えば、従来なら見込める医療費がこれだけ減額になり、ひいては病院経営を悪化させる一要因になると、泌尿器の専門病院に臓器移植の『不経済性』を説いて回ったんです」

「臓器移植をすれば儲けは減りますとでも宣伝したということですか」

「簡単に言ってしまうとその通りです」

「病院の儲けが減るということは、当然製薬会社も減収につながる。自分の会社の利益が減らないように手を組んで臓器移植に反対しようとでも持ちかけたんですか」

「患者の健康を第一に考えるべき製薬メーカーとしてはあってはならないことです」

「それだけで船橋はクビになったんですか」

鍋島は一瞬口ごもり、言葉を呑み込むと急に口が重くなってしまった。

「これ以上のことはいくら報道しないと約束してもらっても、お話しするわけにはいきません」

強い意思が込められていた。

「そうですか、それでは仕方ありませんね」

沼崎は引き揚げる支度を始めた。しかし、上目づかいに鍋島の表情をうかがった。これまでの経験からオフレコ取材というのは、核心は話せないが核心を伝えたいという矛盾した思いが重なっていることが多いのだ。鍋島はまだ核心を話していない。肩すかしを喰らい、どう対応したらいいのか迷っている様子だ。

「では」と言ってソファから立ち上がった。

「一つだけお伝えしておきます」

鍋島の言葉に沼崎の動きが止まった。

「当然のことながら営業マンは大学病院から総合病院、個人病院を回ります。船橋は明昭医大の出身の大田先生の信頼も厚いことから熊本県Y市の慈愛会病院も彼が担当していました」

急上昇するエレベーターに乗った時のように、ふっと足が宙に浮いたおぼつかない感じがして的確な質問が思い浮かばない。

「船橋は慈愛会病院にもその試算を持ち込んだのですか」口ごもりながら沼崎が尋ねた。

「査問委員会の席上で船橋は、試算は慈愛会病院から依頼されたから算出したと返答しました。それに松嶋常務の信頼を得ていることを盾に、彼は仕事を放り出し、辞める時も突然、辞表を送りつけてきて、会社を混乱させました」

こう答えると、鍋島はソファから立ち上がりながら、

「お忙しいところをお呼び立てして申し訳ありませんでした」

と言った。

「その一件と船橋の退職がどのように結び付くのでしょうか」

鍋島は自分の机に戻ると、もう何も答えようとはしなかった。

「慈愛会病院に依頼されたというのは事実なのですか」

追いすがるように聞いたが結果は同じだった。伝えるべきことは伝え、これ以上答

えるべきことは何もないという強い意思が鍋島からは感じられた。沼崎はすごすごと部屋を出るしかなかった。

わかったのは船橋の行動に問題があったということと、松嶋常務と鍋島専務は派閥対立があり、船橋は松嶋常務派ということだった。

共健製薬のビルを出ると、沼崎は赤坂見附駅に向かって歩きながら由香里に電話を入れた。

「慈愛会病院の経営状況について調べくれ」

「何よ、急に」

鍋島からの情報を伝えた。

「経営は順調で親父の病院よりずっと安定しているって、うちの事務局長が言ってたわ」と答えてから由香里は「ただ慈愛会は透析患者専門の病院建設の計画があるそうよ」と付け加えた。

「その病院はいつ建設されるんだ」

怒鳴るような声で沼崎は尋ねた。

「そこまではわからないわ」

慈愛会の大田医師が試算を船橋に求める動機は存在する。しかし、それだけで船橋がクビにされたとは思えない。共健製薬を追い出された後も上原議員、並川順造の手先となって上海で蠢いていたことを考えると、両者はただならぬ関係にあったと想像できる。

「わからないことだらけだよ。でも少しずつだけど見えてきたものがある」

沼崎はそう言って電話を切ったが、実際はまったくの藪の中で真相がどこにあるのか皆目見当がつかなかった。

船橋の上海生活は半年にもなるようだが、その間の生活費はどうしていたのか。敏腕の営業マンだったにしても、クビにされたのでは退職した時、まとまった金がそんなにあったとは思えない。帰省ラッシュの交通渋滞に巻き込まれた車のように、沼崎の思考はまったく身動きできなくなってしまった。

第十四章　強制送還

上海の王小芳から沼崎に国際電話が入ったのは、鍋島と会った二日後のことだった。まだ起きたばかりで顔も洗っていなかった。王小芳の声は最初から緊張していた。

「私、今、上海警察署から電話しています」

「どうしたの」

「船橋のことや姉のことをまた聞かれています」

富士吉田署の白井も、上海警察が本格的捜査に乗り出したと言っていた。

「捜査に協力するよう沼崎さんに言ってくれって頼まれて……」

「協力できることはいくらでもするよ」

こう答えると、王小芳と上海警察署の刑事との会話が聞こえてきたが、どんな内容を話しているのか沼崎にはさっぱり理解できなかった。しばらく中国語の会話が続き、今度は刑事らしき男の声で話しかけてきた。

「沼崎さん、捜査にご協力をお願いします」

相手は宋刑事と名乗った。

お世辞にも流暢な日本語とは言えないが、言葉ははっきりと聞き取れる。

「事実関係は王小芳から聞きました。船橋とアジアン・ワイドプロとの関係を知っていたら教えてください」

　並川良子の夫が経営する会社であり、実体は中国、フィリピンからホステスを呼ぶ怪しいプロダクションであると告げた。

「詳しいことは富士吉田署の白井刑事に連絡すれば、私より詳しく教えてくれるはずです」

「日本の警察にはインターポールを通じて捜査協力を依頼しています。上海のシティバンクから二〇〇七年一月以降、船橋は毎月一万ドルをカードで引き出しています。日本の彼の口座にその金額が振り込まれています。誰が振り込んでいるか心当たりはありますか」

「わかりません」

「アジアン・ワイドプロかあるいはその関係者という可能性は考えられませんか」

「私には答えようがない」

「もう一つ、質問させてください。船橋の口座には毎月の振り込みの他に、二〇〇五年四月に十万ドル相当、二〇〇六年十二月に五万ドル相当の円がそれぞれ入金されています。この点について何か思い当たることはないでしょうか」

　しばらく沼崎は考えたが、「わかりませんね」と答えた。

「ご協力感謝します」と刑事は答えて、電話を切ろうとした。

「新事実がわかれば連絡しますので、そちらの連絡先を教えてください」

沼崎は電話の後、取材メモを見直した。

最初に十万ドルが入金された時期だが、それは並川良子が臓器移植を受けた時期と重なるのだ。おそらく陳安博医師、王小紅への謝礼、そして船橋の取り分がドナー側から支払われたのだろう。

二回目は、樹海で王小紅の遺体が発見され、特番が放映される直前だ。二回目の入金はいったい何なのか見当がつかない。

「とんでもないことが起きているのかも……」

沼崎は呟きながらバスルームで冷たいシャワーを浴びた。

野呂からは連日のように上海取材の映像を報道するように迫られている。しかし、シャツの上から背中を掻いているようなもどかしさがずっとつきまとっている。

船橋、陳安博の映像を流したところで、上海で日本人の移植手術が行われていて、上原議員の長女が移植を受けていた事実だけに留まる。ドナーは樹海で発見された王小紅の可能性が高いが、二人を結びつける決定的な確証は得られていない。場合によっては並川良子の実名も報道できないかもしれない。そうなれば上原議員の名前も明らかにすることができなくなる。

王小紅が自殺したとは到底思えないが、あの場所に放置した人間が誰なのかも相変わらず藪の中なのだ。沼崎はイフプロに出向き、野呂にさらに二週間の追加取材期間を求めることにした。

「船橋をもう少し追ってみたいし、王小紅の日本での動きがまったくわかっていない」

野呂は渋々だが、沼崎の申し出を了解した。「俺はいいけど、局のプロデューサーの忍耐にも限界があるから、そのことも考えてくれよな」

その日、二階の編集ルームに降りて、上海で隠し撮りをした映像をもう一度見直した。

どんな編集をしても抱いている不確かさはどうすることもできない。見終えて、沼崎は王小芳の家で撮影した三枚の写真の複写をプリントしてみた。中州の屋台で撮影した二枚の写真のうち一枚に仲間と食事している光景が映っている。屋台の奥の方に店の名前を記した一文字だけがテントに浮かび上がっている。「龍」という漢字一文字だが、中洲を歩けば直ぐにその店名はわかるはずだ。それに王小紅が家族に手紙を書き送っていた住所もわかっている。

沼崎は羽田空港に向かった。福岡空港からはタクシーで早良区高取二丁目の王小紅が暮らしていたアパートに行った。タクシーの運転手に正確な住所を告げると、カーナビゲーションに入力した。

交通渋滞もなく三十分ほどで目的地に着いた。木造モルタルの二階建てで赤尾アパートと壁面に記されている。王小紅はその二階に住んでいた。しかし、そこは空室でドアの新聞受けには広告がはみ出すくらいに挿入されていた。

各階五室のアパートだが、二階の三室は空室だった。残りの二室には入居者がいたが、最近引っ越してきたばかりで、王小紅について知っているものは誰もいなかった。

アパートのオーナーが近所に住んでいると聞き、オーナーを訪ねた。家はすぐに見つかった。瓦屋根の家で、門から玄関までのアプローチには平坦な石が並べられ、庭石とよく手入れされた松の植え込みが目を引いた。

呼び鈴を押すと、「はい」と老人の声がして、すぐに玄関の引き戸が開いた。

「どちらさんですか」老人が尋ねた。

沼崎は名刺を差し出し、来意を告げた。

「あのアパートは東京の会社が寮として借り切っていたもんばい。二年契約で今年の三月までだったんじゃなかろうか。今おるのは皆四月に入ってきたもんばかりばい」

老人がアパートのオーナーで赤尾だった。沼崎はプリントした写真を見せた。

赤尾は写真を見たが、すぐに沼崎に戻した。

「見たことがあるような気もするが、女の子の出入りがはげしかけんね。三ヶ月から半年くらいで変わってしまうけん、よくわからん」

「そうですか」写真を受け取りながら、落胆のこもった声で答えた。

「女房が生きておれば、わかったかもしれんが、女房は一ヶ月前に亡くなってしもうてね……」

「そうでしたか」

「女房は満州生まれで、少し中国語が話せるけん、出稼ぎにきたホステスとちょくちょく話ばしよった」

「どんな話をしていたかわかりますか」

「どこに買い物に行ったらよかとか、風邪薬の名前なんか教えておったのは覚えとるが……」

「王小紅という女性がここで暮らし、上海の病院で腎臓を摘出し、その後、再び来日して、富士山の樹海で死んでいたのが発見されました。その女性のことを取材しているんです」

「腎臓の摘出な……。そのホステスは身内に腎臓が悪か人がおったとな」

「摘出された腎臓は移植されたと思いますが、誰に移植されたかはわかりません」

「移植されたもんは幸福もんたい」

沼崎はどう答えていいのかわからず沈黙した。

「うちの女房もな、ずっと透析を受けておってな」

「腎臓の病気が原因で亡くなられたのですか」

「毎週透析ば受けに熊本の病院に通っとった。わしの腎臓は移植できんといわれ、移植のチャンスをずっと待っておったんだが……」

「エッ、どちらの病院ですか」

「熊本県A市に聖徳会病院というのがあるでしょうが、ここからわしや息子が車でつれて行っとった」

沼崎は感電したように顔を強張らせた。

「聖徳会の日野先生のところですね」

赤尾も日野の名前を沼崎が知っていたのに、驚いた様子だ。

赤尾は「まあ、上がりんしゃい」と言った。

沼崎は居間へ通された。一人暮らしなのだろう。新聞がソファに広げられ、テレビが点けっ放しになっていた。

沼崎は上海取材の情報を老人に伝えた。聞き終えると別の部屋に行って、アルバムを持ってきた。

「開くのもつらか。それでわしはいまだに見とらん」

アルバムはＤＰＥを注文するとサービスで付いてくるもので、それにはアパートで暮らしていた女性と、夫人が一緒に写っている写真がファイルされていた。

「見るとよか」

夫人は几帳面だったのか、撮影した期日をアルバムの表紙に書いていた。二〇〇六年十二月のものから開いてみた。アパートで暮らしたホステスたちが夫人を挟むようにして写っている。十一月、十月にも王小紅と思われる女性はいなかった。しかし、九月のアルバムには王小紅が写っていた。

「富士山の樹海で死んでおった女性はうちのアパートで暮らしておったとか」

「間違いありません」

「そうか……」

唇を噛む赤尾にやり場のない無念が滲む。

「わしは博多の魚ば配送する仕事をトラック一台で始めた。会社は大きくすることはできたが、女房のことにはいっちょん気にもかけずに生きてきた」

家の構えからは輸送会社は大きく成長し、事業は成功したことがうかがえる。赤尾が妻の体を気にかけるようになったのは、会社経営を長男に譲ってからのことらしい。

「透析がどれだけ大変なこつか、移植のチャンスがいかに少ないかを知ったのはそれからばい」

晩年は赤尾が看病にかかりきりになり、最期も看取った。沼崎はただ黙って赤尾の話に耳を傾けた。

「意識が混濁して、昔のことを思い出すのか、子供の父兄参観日のことば持ち出してきて、次の月曜日は仕事を休めとか言われた。時々だが訳のわからんことを言いよった。だから本気にもしなかったが、あんたの話を聞き後悔しちょる」

　赤尾が何を言い出すのか、沼崎には想像もつかなかった。

「意識が混濁していたのか、ハッキリしていたから言ったのか、今となってはわからん。確かなのは、わしがあいつのいうことば本気で聞いてやらんかったことだけたい。あいつはわしが病室に入ると、王さんを聖徳会に連れてきて、日野先生に診察してもらうとよかと言い続けておった」

「王さんというのは、王小紅のことでしょうか」

「わからん。わしは確かめようともしなかった」

「何故、王さんを日野先生に診せたかったのでしょうか……」

「それもわからんが、中国から出稼ぎに来て心細いからと、スーパーに一緒に行ったり、薬局に連れて行き薬を買ってやったりしちょった」

「王さんが腎臓の病気を抱えていたとも考えられますね」

「そうかもしれんが、わしにはわからん」

「赤尾さん、この写真を拝借してもいいですか」

「役に立つなら使ってかまわん」

「それともう一点聞かせてください。寮として借り切っていた東京の会社を教えてください」

赤尾は契約書を持ってきて見せてくれた。契約相手はアジアン・ワイドプロになっていた。

沼崎は赤尾の家を出ると、タクシーで中州に向かった。そろそろ屋台が並び、賑わいを見せている頃だ。龍の文字が入った店は三軒あった。「呑龍」「一龍」そして「昇龍」だった。写真と見比べながら一軒一軒回った。すぐに店はわかった。写真の店は「昇龍」だった。

沼崎は屋台のベンチに座りラーメンを注文した。四、五分でテーブルにラーメンが出された。

「人を探しているんだけど、この写真に写っている女性を知らない？」

屋台の中でラーメンを作っている店員は三人で、写真を受け取った一人は他の二人にも確認してくれた。三番目に見た男が「前に写っている三人の女性はわからんが、端に小さく写っている女性は知っとうよ」と答えた。

「誰ね」

他の二人も写真を見直した。写真の隅に、確かに小さく女性が写っていたが、肌は浅黒く、東南アジア系の女性らしい。

「ブルームーンのマリアンたい」

「そげん言えば似とうね」

三人で盛り上がって話していた。写真を戻しながら言った。

「前に写っている女性はわからんが、端に写っているこの女性は、中州にブルームーンというフィリピンパブがあって、そこのホステスたい」

沼崎はラーメンを食べ終わると、店員からブルームーンの場所を聞き、念のためにのぞいてみることにした。店に入ると同時に舌足らずの声で「イラッシャイマセー」とホステス全員が挨拶してきた。

フロアマネージャーにマリアンを呼ぶように言った。初めての客なのに指名され、マリアンは少しオドオドしていた。

「誰からワタシのこと聞いた？」

「この写真を見てくれるかい」

沼崎が写真を差し出すと、すぐに自分が写っていることに気づいたのか、「これワタシ」と指差した。

「お客さんとは初めてではないね。ラーメン屋で会っている」

「この前に写っている女性を知らないかい」

「知らない。ラーメン屋のお兄さん、ブルームーンに時々来るから、ワタシも食べに行っただけ」

沼崎はビール二本を空けると、早々に店を出た。気がつくとまだホテルを決めていなかった。博多駅前のビジネスホテルにチェックインし、一日の出来事を頭の中で整理しているうちに、いつの間にか眠りに落ちていた。

翌朝、飛行機の予約も入れないまま、地下鉄で福岡空港に向かった。ANAのフライトに空席があった。搭乗手続きを済ませると、沼崎は白井に電話を入れた。

「いいタイミングでかけてくれました。私の方からも今かけようとしていたところです」

「例の事件の追加取材で福岡に来ていました。これから東京に戻ります」

「重要な話なので、東京で会って直接お話をしたいのですが、今日の午後にでも時間はどうですか」

声の調子から緊迫しているのが伝わってくる。

「では午後二時に新宿の京王プラザホテルのロビーで待ち合わせませんか」

「その時間なら私も日帰りができます」

二時少し前に京王プラザに着いたが、すでに白井も着いていてロビーをぶらついていた。カクテルティーラウンジに誘おうとすると、白井は西口公園を歩きながら話しましょうと言ってきた。やはりマスコミ関係者と会っているところを見られるのを警戒しているのだろう。

西口公園に入ると、白井は早速本題を切り出してきた。

「近いうちに船橋は上海から強制送還されてきます」

「理由は？」

「表面上の理由は不法滞在と沼崎さんに対する強盗傷害容疑です」

船橋は九十日間の観光査証を取得して入国したが、滞在期間が過ぎたまま上海に滞在し続けていた。

「沼崎さんから奪ったビデオカメラは船橋が所持していました。それと撮影したメモリーカードは処分してなかったそうです」

「どうして事件の概要がまだ不鮮明なのに、上海警察は船橋をそれくらいの理由で強制送還するんですか」

「上海当局が面倒なことになる前に、船橋を日本に送還するという結論を出したのだと思います」

「面倒なことって……」

「上海大学付属大山病院の陳安博院長が日本人のために、若い中国人女性の生体腎を移植していたことが明るみに出れば、国内的にも大騒ぎになるし、それでなくても死刑囚の臓器を売買していると国際的批判にさらされている中国としては、この件で矢面に立ちたくないという政治的な判断があったと思われます」

「強制送還の日は決定したのですか」

「まだですが、六月中には行われるでしょう」

「帰国したら逮捕ということになるのですか」

「そこが問題です。今のままでは事情聴取程度ですぐに自由の身になるでしょう」

「臓器移植にこれだけ深く関与していても、逮捕することはできないのですか」

「すべて中国で行われていたことで、肝心の中国当局が逮捕もしない船橋をどうして日本の警察が逮捕できるのですか」

白井も腹立たしいのだろう。語気を強めた。

「王小紅はハルシオンを飲んで凍死しています。自殺とも他殺とも今も判別はつきません。しかし、樹海どころか山梨県の地理さえ不確かな中国人が一人で、ハイヒールを履いたままあの場所へ行って自殺したとは到底思えません。ということは誰かに運ばれ現場に捨てて置かれたと考えるのが合理的です」

「自殺なんかではなく殺人の疑いが濃厚ということですね」沼崎が念を押す。

「上海警察が陳安博院長から聴取したところによると、王小紅は裏金を使ってレシピエントが並川良子だということを看護師から聞き出していたそうです。王小紅がどうして上京したのか目的がはっきりしていませんが、王小紅に動かれては困る人間が、彼女をあの現場に放置したとも考えられます」

確証はないが王小紅の腎臓が並川良子に移植されたと仮定する。その事実が明らかになって不利益を被るのは、上原議員だ。レストア・キッドニ移植を日野医師に密かに依頼し断られると、批判している海外での移植手術を自分の娘には受けさせている。秘密が暴露されれば政治生命を失うことになるだろう。

並川順造も、ニュース報道番組のキャスターを抱えるプロダクションを経営し、その一方でアジアン・ワイドプロを運営し、王小紅はそのプロダクションを経て来日している。妻に移植させるために、呼び寄せた中国人ホステスの中からドナーを見つけ出したことがわかれば、厳しい世論にさらされる。

慈愛会の大田勇医師は王小紅がドナーとして適正かどうかの検査を行っている。海外移植の窓口業務を担当している疑いが濃厚だ。慈愛会には透析専門病院の建設計画もある。聖徳会病院、日野医師を窮地に追い込むことは慈愛会の利益につながる。こうした事実を考慮すれば、合同調査委員会に大田が加わるのは適切さを欠いている。

船橋甫は、共健製薬から追い出されるような行動を取っている。患者一人の透析医療費と移植が行われた場合の医療費の比較算定を慈愛会病院に頼まれて計算していた。

しかし、船橋には、暴露されて困る秘密は存在しない。

「警視庁、熊本県警の協力を得て、王小紅が放置されたと思われる日から遡って一週間の彼らのアリバイを調べました。船橋以外の人間には、アリバイが成立し山梨県を訪れた事実は確認できませんでした」

「船橋はどうなんですか」

「ある日、突然、共健製薬の博多営業所に姿を見せなくなり、辞表も手紙で送りつけています。沼崎さんの樹海特番が放送されたすぐ後に、上海に出国しています」

「遺体からは船橋の関与を思わせる遺留品か何かは見つかっていないのでしょうか」

「鑑識課に依頼して、殺人の疑いもあるということで再調査をしてもらっています。今判明しているのは、王小紅が着ていたダウンのコートから、彼女とは別人の毛髪が五本発見されています。遺体そのものは荼毘に付されています」

白井の話を聞くと、沼崎は福岡で取材した赤尾から得た情報を伝えた。

「王さんという女性と王小紅が同一の人物だという確証はありませんが、もしそうであったとすれば王小紅が聖徳会病院で診察を受けたか、あるいは受けようとしていたのかも知れません。少なくとも聖徳会病院の名前くらいは聞いていたと思われます」

「しかし、そのことと王小紅の上京と船橋の不審な動きにどう結びつくのか、まったく不明では、山梨県警が船橋の身柄を拘束するのは無理ですね」

白井は沼に足を取られるような重苦しい顔をした。

第十五章　透析利権

沼崎と吉田は成田空港に急いだ。

霧雨にフロントガラスがぬれワイパーを使わなければならないほどだった。

船橋の強制送還に注目したマスコミはいなかった。成田空港第一ターミナルの到着スポットで、腕章を巻きカメラマンの吉田と二人で待機した。

「機内から降りてくるところと、入管の取調室までは撮影可能ですが、それから先はご遠慮ください」

空港の警備スタッフと入管職員の二人が、沼崎と吉田の脇に付いたまま離れようとしない。

「船橋は入管の取り調べが終わったら身柄はどうなるんですか」沼崎が入管職員に聞いた。

「そうしたことは広報を通じて聞いてください。ここでは何もお答えできません」

マニュアル通りの返事が戻ってきた。

船橋は中国国際航空で送還されてくる。

「すべての乗客が降り終わったら出てきますので、撮影はそれからにしてください」

船橋が飛行機を降りるのと同時に、身柄は中国当局から日本側に移され、彼だけは機内清掃の職員が出入りする専用タラップを使って地上に降りることになっている。待機している入管の車で取調室に向かう。

中国国際航空機が到着スポットに入っても、結局、一時間以上待つはめになった。すべての乗客が降りたのか、中国国際航空の地上職員が無線で確認を取り、「どうぞ。大丈夫です」と言った。

「では、行きましょう」と入管職員が促した。

飛行機のドアのところまで足早に進むと、ドアの前で止められた。その周辺にはすでに警備スタッフ、入管職員が五人ほど待機していた。入管職員だけが機内に入り、すぐに戻ってきた。後ろに船橋が続き、その背後に船橋を連行してきた中国側のスタッフがいた。

吉田はカメラで撮影を開始した。船橋は沼崎の顔を見ると、久しぶりに会った友人に語りかけるように言った。

「元気かよ」

上海当局に身柄を拘束された間に、髪を短く切られたのか角刈りの頭をしていた。身柄を拘束され、そのまま強制送還されたらしく荷物は何一つなく、半袖の開襟シャツ姿だ。手錠はされていなかった。

地上に降りるタラップのドアが開けられると真っ先に吉田が走り降りた。

「ここまで迎えにきているとは思わなかったよ」船橋は周囲の視線など気にならないのか、一方的に話し続けていた。沼崎もタラップを降りた。

「すべて撮影しています」吉田が言った。

雨に機材がぬれるのを気にしながら、吉田はビデオカメラを回し続けた。

沼崎が後ろを見上げると船橋がタラップを降りてくるところだった。待機していた車が近づいてきて、数メートル離れたところに止まった。船橋の周囲は完全に囲まれていて近寄れない。飛行機が離発着する騒音で、怒鳴り声でも上げない限り聞こえないくらいだ。

沼崎が近寄ると、船橋が大きな声を上げた。

「例の映像、きれいに映っていたよ。でも残念だったな」

写真判定にもつれ込み配当金をもらい損ねた競馬ファンをからかうような口調だ。

「そんなことはないさ。オリジナルのメモリーカードは上海の空港から日本人観光客に託しておいたのさ。時間があったら今晩のニュースは是非とも見てほしいくらいだ」

沼崎の声が届いたらしい。船橋が足を止めた。

「あれを放送する気か」

「当然だろう。何か問題でもあるか」

船橋は警備スタッフ、入管職員の囲みを破って、沼崎に殴りかかってきた。すぐに押さえ込まれ、車の中に強引に乗せられた。沼崎、吉田の二人も空港職員に導かれ、再びタラップを上がり、到着客とは別の通路を通って一階の到着ロビーに出されてしまった。

二人はイフプロの事務所に大急ぎで戻った。夕方六時のニュースは無理だが、十一時のニュースには、次の日曜日の報道スクープの告知を兼ねて第一報を流すことに局側と話がついている。

沼崎はニュースの冒頭に一枚の写真をクローズアップした。福岡ドームをバックにどこか脅えた表情でカメラに向かって王小紅が無理に微笑んでいる。

次に続けるのは富士山青木ヶ原樹海で発見され、白いシーツを掛けられ救急車に載せられるシーンだ。そして、上海郊外で撮影した王小紅の両親の映像が続く。

船橋が成田空港に着いた時の映像は、モザイクをかけずに使うことにした。最終的にはプロデューサー判断だが、船橋が王小紅の死に関与していると沼崎は確信していた。船橋がホテルの一室で、上海で腎臓移植を受ける際の費用について説明しているシーンも用いることにした。それで持ち時間は終わってしまう。沼崎は映像の編集を終えると一気に原稿を仕上げた。

打ち合わせの会議までには十分時間がある。事務所近くのレストランで軽く食事を摂ってから、乃木坂にあるテレビ局に向かった。「ナイト11ニュース」の宇佐美プロデューサーは会議室に入るなり、沼崎に言った。

「すごい取材をしていますね」

会議室には夕方六時のニュースのキャスターを務め、仕事は終わったはずの安斉美由紀キャスターまで部屋に入ってきた。「ナイト11ニュース」のキャスターは石渡紘子キャスターと小木曽悟キャスターの二人で、ディレクターも加わり、会議室には七人もスタッフが集まった。

ディレクターに編集したDVDを渡すと、モニターに映像が映し出された。スタッフは食い入るように見つめていた。

「原稿を読ませてください」

原稿をひったくるようにして宇佐美が読み始めた。それほど長い原稿ではない。すぐに読み終えたが、宇佐美はもう一度読み返した。

「慈愛会病院の大田院長、上原議員、娘の良子の移植について記述されていませんが、これはどういう理由でしょうか」

沼崎はこれまでに確定した事実を説明した。

取材でわかっているのは、樹海の遺体は王小紅という中国人女性で、彼女はアジアン・ワイドプロ、並川順造が経営するプロダクションを通じて来日、ホステスをしていた。熊本県の慈愛会病院で検査を受け、上海に戻り腎臓を摘出している。同じ時期に並川良子は上海で移植を受けている。王小紅は実家に三万ドルを持って帰宅している。

自称海外移植コーディネーターの船橋は、樹海の特番が放送された直後に上海に渡った。陳安博院長自身が船橋を沼崎に紹介するほどで、上海大学付属大山病院は、移植コーディネーターとして船橋を認めている。

船橋が共健製薬の社員時代に大田院長との接点はできている。船橋は慈愛会に依頼されたからと会社には説明しているが、透析治療から得られる利益と、移植手術後の医療費軽減を計算し、移植医療は病院経営の立場からすると非効率的であると説き、それが解雇の理由になっている。

慈愛会は透析病院を建設する計画がある。

「王小紅が他殺か自殺か、いまだに判定がついていないのでしょうか」

「状況は他殺ですが、山梨県警も決定的な証拠を掴んではいません」

「もう一つ、王小紅の腎臓が並川良子に移植されたという確証はあるのでしょうか」

「それもまだです」

「いつわかるんですか」

たまりかねたように安斉キャスターが割って入った。

「入管が今事情聴取をしていますが、山梨県警が船橋、そして並川夫妻からも事情聴取をするはずです。さらに慈愛会にも捜査のメスが入ると思います」

「では今晩のニュースでは、樹海の遺体の身元が判明した事実と彼女は日本の病院で移植の適合検査を受けていたところまでは報道しましょう。船橋のコーディネートで、すでに日本人女性が上海で移植を受けた事実があることまでは放送しますが、それが国会議員の長女である点はぼかすようにしましょう」

宇佐美は沼崎が編集した映像と原稿をほぼそのまま採用して放送することを決めた。

「レシピエントが並川良子であるかどうかがはっきりするのはいつになるのでしょう。それと王小紅を殺したのは船橋なのでしょうか」

報道スクープの放送日が迫っている安斉キャスターは気を揉んでいる。ここから先は警察の捜査の進展を見守るしかない。

会議を終えると、沼崎は一人になれる場所を見つけ、白井に電話を入れた。「ナイト11ニュース」で船橋の強制送還と樹海の遺体の身元が判明したニュースが放送されることを伝えた。

「それと私が上海で撮影した船橋と陳安博院長の映像ですが、上海の虹橋空港で日本人観光客の夫婦に局に届けるようにお願いしたメモリーカードが届き、その映像も一部使います。特集番組は次の日曜日に放送します」

「わかりました。このまま少し待ってください」

白井も場所を移動している様子だ。

「私も内々に伝えておきます。東京地検特捜が沼崎さんの放送を遅らせるように頼んでくれと、県警の方に言ってきました」

「どうしてですか」

沼崎は腫れ物にでも触られたように、一瞬ビクッとして聞き返した。

「私にも知らされていませんが、上原議員、厚労省の奥村局長、慈愛会病院の大田、共健製薬が関係する贈収賄容疑で捜査を進めているようです」

「今晩のニュースはほんの触りだけですが、船橋の身柄はこれからどうなりますか」

「いずれ山梨県警が預かります。王小紅殺人の容疑が固まり次第、逮捕状を請求します」

「船橋が完全黙秘した場合でも起訴に持ち込めるのでしょうか」

「必ず自白させてみせます」

白井は昂ぶる気持ちを露にした。

「ママ、病室にいればいいって」

裕美が母親に言った。高倉治子は体調を崩し三週間前から入院している。面会時間はすでに終わっているが、土色の精気を失った顔にパジャマ姿でスリッパを引きずるようにして裕美の後を付いてきた。仕方なく待合室で母親と二人でテレビを見ながらただ時間が過ぎていくのを待っていた。

「明日も来るけんね」

裕美は病室に戻るように母親を促したが、それでも玄関まで送っていくつもりなのだろう。面会時間後は正面玄関は閉じられ、その横に設けられた夜間専用ドアから出入りするようになっている。母親に手を貸し、椅子から立ち上がろうとした時、その横を加藤看護師長が通りかかった。

「アラッ」

驚きの声を上げた。視線はテレビに向けられている。それにつられて裕美もテレビに目をやった。

石渡紘子キャスターが緊張した面持ちで語り始めた。

「昨年末に放送され反響を呼んだ青木ヶ原樹海の女性遺体に新たな展開です」

福岡ドームをバックにして映る女性の写真が映し出された。

「腎臓を摘出されていた女性の身元が判明しました。女性は上海出身の王小紅さんで、この事件に関与したと思われる船橋甫容疑者が、今日上海から成田空港に強制送還されてきました。この後詳しくお伝えします」

加藤看護師長が近くを通った夜間勤務の看護師に、「日野先生、直井先生がいたら待合室にすぐ来るように言って」と指示した。

間もなく直井が待合室にやってきた。

「日野先生はもう帰られました」

それを聞くと加藤看護師長は携帯電話で日野にテレビを見るように伝えた。

「ナイト11ニュース」が中盤まできたところで、樹海の遺体のニュースになった。

「先ほどもお伝えしましたが、樹海で亡くなっていた女性は中国籍の王小紅さんであることが判明しました」小木曽キャスターが原稿を読んだ。

画面には王小紅の遺体が担架で運ばれ、救急車に載せられるシーンが流れた。顔にはモザイクが掛けられているが、衣服はそのままの姿が映し出された。

小木曽キャスターが続ける。

「遺体の女性は左の腎臓が摘出されていたことから、聖徳会日野病院に絡む臓器売買事件との関連が取り沙汰されましたが、摘出は上海で行われていたようです」

薄暗い部屋で、顔中にひびのような深い皺を刻み込み、疲れきった様子の老夫婦が映った。

老夫婦は王小紅が訪日するまでの事情を語り、帰国すると三万ドルという大金を持参していた事実を明かした。しかし、体調がすぐれないまま再び日本に戻り音信が途絶えてしまったと語った。

「山梨県警は現在もなお自殺とも他殺とも断定せずに両面で捜査を継続していますが、そんな中、王小紅さんの移植に深く関与したと見られる船橋甫容疑者が、成田空港に今日強制送還されてきました」

石渡紘子キャスターが緊張した面持ちで伝えた。

成田空港の滑走路の映像が流れると、空港警備スタッフ、入管職員に囲まれた男がカメラに向かって怒鳴り、殴りかかろうとする様子が鮮明に映し出された。

「この船橋容疑者は上海市内のホテルに常駐し、海外移植コーディネーターを自称し、高額の移植費用を取り、中国人から提供された臓器を利用し日本人に移植手術を受けさせていました。その実態を取材しました」

まぶしいほどの光が部屋に降り注いでいる。ソファに深く腰掛けている船橋の足元から顔までをワイドレンズが的確に捉えている。

「日本でも中国でも、おおっぴらにやれないこともあるので、こんな名刺になっています」

電話番号の部分だけにモザイクが入り、「海外移植コーディネーター　船橋甫」と記された部分が大写しにされた。

「腎臓移植にかかる費用は千二百万円から千五百万円といったところでしょうか。内陸部の農村地帯を歩けば、食っていくだけで精一杯という貧しい人たちはいくらでもいます。彼らがそこに留まる限り、百万円、二百万円という金は一生かかっても手にすることのできない大金です」

小木曽キャスターが解説する。

「中国で日本人に移植されるのは、農村の貧しい人たちの、しかも生体腎であったようです。中国当局の表向きの強制送還の理由は、不法滞在とこの事件の取材にあたっていたスタッフに暴行を加えた傷害罪と撮影機材を奪った強盗容疑ですが、中国も死刑囚などの臓器を移植しているとして国際的批判にさらされている現実があり、事件の拡大を嫌って強制送還したものとみられます」

「なおこの続報については、次の日曜日に放送される報道スクープで詳しくお伝えする予定です」石渡キャスターが最後を締めくくった。

「聖徳会病院のせの字もでんかったね」加藤看護師長が安堵したように言った。

「日野先生があの女性から摘出したようなあの報道はいったいどうなるんですか」直井も呆れ返った様子で言った。

「高倉さん、病室まで送りますよ」加藤看護師長が言った。

「どげんしたと、裕美？」治子が聞いた。

裕美は下を向いたまま長椅子に縛り付けられたように身動きが取れなくなっていた。

「具合でも悪いの。顔色が悪いわよ」加藤が裕美の額に手を当てた。「熱はないようね」

「私、あの船橋という男、知っとる……」

「なんば言うと……」

裕美は首を激しく横に振りながら言った。

「間違いなか。あのダウンのコートを買った男に」

船橋がダウンのコートを買いに来た日のことを、裕美は鮮明に記憶していた。

「ママに小豆色のセーターばプレゼントしたでしょ」

「ああ、去年のクリスマスプレゼントね」

「お店のオーナーが十二月十五日までに売れなければ、クリスマスのバーゲンセールに回すと言っていた小豆色のダウンのコート、ママに一度店に来てもらい試着ばしてもろうたじゃなかね」

「あのコートのことは覚えとるよ」と治子は言って「アッ」と短く息を詰まらせた。

「あのコートたい」裕美が言った。

「まさか……」

治子にはまだ信じられないのだろう。

加藤看護師長と直井医師は何も理解できずに、そばで呆気に取られている。

裕美が説明した。日野医師の紹介で、裕美はアパレル店でアルバイトをしている。オーナーは定価で売れなかった商品をクリスマスバーゲンに回すが、その前に従業員に安く販売していた。裕美は小豆色のダウンのコートを母親に買うつもりで、売れ残るように密かに期待していた。

それを突然やってきた船橋が買ってしまい、仕方なく小豆色のセーターを母親にクリスマスプレゼントとして買ったのだ。

「それで船橋の顔を覚えていたというわけか」直井が納得するように言った。

「ナイト11ニュース」の放送が終了し、沼崎は帰宅した。風呂にゆっくりつかり疲れを取った。風呂から上がると携帯に電話が入っていたようで、ディスプレイが点滅し、由香里からメッセージが残されていた。「大至急連絡をください」

髪を拭きながら由香里に電話を入れた。

「あなたに伝えた方がいいと思ってメッセージを残したの。親父の病院に入院している透析患者のお嬢さんが、あなたのニュースを見て船橋にダウンのコートを売ったって言うのよ。私もそんな半年前の記憶が確かかどうか確信は持てないけど、取材する価値はあると思うわ」

由香里が加藤看護師から聞いた情報をすべて沼崎に伝えてくれた。それを聞き、「明日、熊本に取材に行くので、協力するように加藤看護師長とそのお嬢さんに連絡しておいてくれよ」と頼み込んだ。

沼崎はすぐに成田にいる白井にも由香里からの情報を伝えた。

「私はまだ成田にいます。船橋は疲れを理由に、ほとんど何もしゃべってはいません。富士吉田署に移送するのは少し遅れそうなので、私も熊本へ飛びます」

あとは吉田に明朝羽田空港に来るように伝えるだけだ。

聖徳会病院に着いたのは昼過ぎだった。駐車場には熊本県警のパトカーが止まっていた。院内に入ると、中から白井が若い女性と年配の看護師と一緒に玄関に向かって歩いてきた。沼崎に気づき、

「貴重な情報をありがとうございます。私はこれで東京に戻ります」

と小声で言った。

「ご協力ありがとうございました」

今度は若い女性と看護師に挨拶して、白井はパトカーに向かって歩いていった。

「失礼ですが加藤さんですね」沼崎が看護師に尋ねた。

「はい」

沼崎は名刺を差し出した。

「由香里さんから聞いています。こちらが高倉裕美さんです」

「日野先生のことを悪く報道しないなら取材に協力します」

裕美が言った。

「先ほど会議室で、あの刑事さんとお話ししました。まだ部屋は使えるのでそちらでお話をしましょう」

ビデオカメラを回す前に裕美に尋ねた。

「由香里さんからおよその話は聞いています。あなたの証言は極めて重大なものになると思いますが、あなたの顔は伏せて、声も変えるようにします。協力していただけますね」

すでに白井に説明したためか、裕美の話は整理されていてわかりやすかった。

「山梨県警の刑事はお母さんからも話を聞いたのでしょうか」

「ママからは話というより、どういう訳かわからんけど、髪を何本か抜いてもらえんかと言って、ママの髪を持ち帰りました」

コートには五本の毛髪が残されていた。高倉治子のモノという可能性もあると見て、鑑定に回すつもりなのだろう。

「わかりました。ありがとう。今度の日曜日のニュースを必ず見てください」

裕美に礼を述べ、加藤看護師長に、日野医師への伝言を頼んだ。

「また改めてお詫びにはうかがいますが、日野先生にもみなさんにもいろいろご迷惑をかけしてしまいましたとお伝えください」

玄関先でタクシーに乗り込み、「慈愛会病院まで」と運転手に告げた。

「突撃取材ですね」吉田が興奮気味に聞いてきた。

「いるかどうかわからんが、とにかくここまで来たんだから行ってみよう」

昨晩のニュースで大田院長も上原議員も、船橋が隠し撮りをされていたことを知り、慌てているはずだ。陳安博院長がどこまで証言したのかも、気にならないはずがない。取材に応じるかどうかは五分五分だろう。

慈愛会病院に着くと、受付で大田院長に取材を受けてくれるように伝えてもらった。その様子を吉田は克明に撮影している。受付は何度も「はい」「はい」と繰り返し、それ以外の言葉は用いなかった。大田かあるいは秘書が一方的に話しているのだろう。受付は館内電話を切ると、

「院長がお会いするそうですが、患者の診察を控えているので十分間だけ取材に応じるとのことです」

と言って、院長室への道順を説明した。

院長室のドアを開けると、部屋の中ほどに会議用の円卓が置かれ、椅子が並べられ

ていた。部屋の奥には書架があり、医学書が並んでいる。その前に木目がくっきり浮かぶ重厚な机があり、大田は書類に目を通していた。机の前にはグレーのソファが置かれていた。

吉田はカメラを回しながら部屋に入った。

「どうぞ」

ソファに座るように勧めた。すぐに吉田のビデオカメラに気づいた。

「お話はさせてもらうが、撮影はやめてくれ」

沼崎は「わかりました」と答えた。吉田はビデオカメラを会議用の円卓に置き、沼崎と距離を空けて座った。

「お忙しいようなので、早速質問させてください。王小紅の移植の適合性検査をしていますが、どのような経緯でするようになったのでしょうか」

「並川順造さんに頼まれたから検査を行った」

「中国人女性の検査をすることになんら違和感を覚えなかったのですか」

「並川さんの義父は国会議員で、無下に断ることなんてできないだろう」

「船橋甫によると、上海で移植を受けようとするレシピエントは適合検査を慈愛会で受けられると説明していますが、大田院長は組織的に上海での移植を進める計画がおありなのでしょうか」

「そんな計画あるはずがない」

「しかし、船橋は明言しています」

「それは彼が勝手に言っていることで私は関知していない」

「大田先生は聖徳会のレストア・キッドニ移植の調査委員の一人ですが、問題の多い海外での日本人の移植に積極的に協力している事実があるにもかかわらず、客観性を求められる調査に加わるのは適任ではないとご自分ではお思いにならないのでしょうか」

「私が入りたいと立候補したわけではなく、厚労省の依頼だから参加したまでだ。あまり失礼なことを言わんでくれ」

「慈愛会は透析専門の分院を造る計画で、かんぽの宿を買収するそうですが、熊本県、福岡県の透析患者をその分院に集めるためにも、聖徳会病院をつぶしたいのではありませんか。ましてやレストア・キッドニ移植で透析患者を治療してもらっては困る。そう考えているのでは？　船橋に透析にかかる年間医療費と移植後の医療費の差額を計算させたそうですね」

「帰ってくれ。そんな質問に答えるつもりはない」

沼崎のインタビューによほど耐えがたかったのか、大田は弾かれたようにソファから立ち上がり、自分だけ院長室から出ていってしまった。

吉田はソファから立つと、円卓のビデオカメラを確認した。

「撮れているか」

「すべて撮れています」

二人はタクシーで熊本空港へ戻った。


大田は病院を出ると、自宅には戻らず熊本市内に向かった。彩夏のマンションで、熊本城でも眺めながら日本酒でも飲み、心を落ち着かせるのがいちばんだ。彩夏は店に出る準備をしている真っ最中だった。

大田が来たことを知ると、携帯電話を取り寝室に入った。「篠」をマネージャーに任せ、今晩は休むと連絡を入れているのだろう。彩夏は寝室から出てくると和服を解き、ジーンズとブルーのブラウスに着替えていた。

「いいのか」大田が聞いた。

静かに微笑み何も答えなかった。大田の表情を見て、何かトラブルが起きていることをいち早く察したのだろう。

「疲れていらっしゃるんでしょう。今すぐお風呂の用意をしますわ」

周囲をすべて狙撃兵に囲まれたような不安が大田を襲っていた。

「沸きました」

彩夏の声でバスルームに入った。湯の温度も少しぬるめに設定してあり、大田の好きな柚子の香りの入浴剤も入っていた。

バスタブに腰までつかりゆっくりとこれまでのことを反芻してみる。不可解なのはそもそも王小紅の遺体が樹海で発見されたことだ。すべてケリが付いたと聞かされていたが、王小紅が自殺したとも思えない。誰かが手を下したのだろう。

船橋が王小紅の死に関係しているような報道が流れたが、船橋に王小紅を殺さなければならないほどの動機は存在しない。すると上原議員か並川が秘密を守るために口を封じたのかもしれない。その手先に船橋を使ったことは十分考えられる。船橋は金のためならそれくらいのことはしかねない男だ。

船橋が強制送還になった背景に、何が隠されているのだろうか。

王小紅の腎臓が移植に用いられた事実は明らかにされているが、レシピエントが誰なのかは不明のままだ。船橋がどこまで持ちこたえられるかわからないが、いずれ最悪のケースを辿り、レシピエントの名前は公になってしまうだろう。

その移植手術に関与したと言われても、適合検査をしたまでで、並川良子の上海移植計画は知らなかったで押し通せば、それで乗り切れるだろう。ましてや依頼者は上原議員なのだ。

いつまでも風呂から上がってこない大田を心配したのか、彩夏が声をかけてきた。

「お背中でも流しましょうか」

「いや、もう出る」

風呂から上がると、彩夏がバスローブを手にして待っていてくれた。バスタオルで大田の頭を拭きながら言った。

「いくら考えても、ダメなことはダメ、うまくいくことはうまく運ぶものです。時には心を休めんと、うまくいくことだって失敗することもあります。さあ、やりましょう」

その通りだと思うが、今度ばかりは用心しなければ足元から計画が崩される。リビングに移ると、テーブルの上には天草から直送されてきた黒鯛の刺身が出されていた。ふいにマンションを訪ねると、彩夏は時折客と訪れる料亭から刺身を運ばせる。料亭の経営者とも顔見知りで、電話一本で無理な注文を聞いてくれるのだ。

日本酒を飲みながら、刺身を口に運ぶが、物陰から不意を突かれるような不安がふっ切れない。

船橋が使えなくなった以上、上海での計画はしばらく保留にするしかない。焦る必要もない。その前にやらなければならないことがある。上原が現職の議員でありさえすれば、実現可能だし、見通しはすでに立っている。

妻の真弓や大田徳治のやり方に不満を抱いている医師、看護師は多い。慈愛会職員の人心も大田が掌握している。新病院の建設を成功させれば、すべての計画は順調に進むはずだ。

上海計画はそれからでいい。自分にそう言い聞かせた。

「何をそんなに怖い顔をして思いつめておると」

彩夏が日本酒を注ぎながら聞いた。彩夏にはすべてを説明してある。学歴はなくて

も理知的な女だ。大田の引き摺っている不安が並々ならぬことをすぐに悟った。

「慌てることはなか。勇さんは上原先生のお嬢さんを救うためによかれと思ってなさ

ったことです。何も恥じることはなか。堂々としていればよか」

彩夏と一緒に酒を飲んでいると、片付かない思いが日なたに放り出された氷のよう

に解けていくのを感じる。

いつの間にかお銚子が何本も空いていた。

ふらつく大田を彩夏がベッドへ導いた。

大の字になってベッドに仰向けになって寝ると、その上に覆いかぶさるように彩夏

が体を重ねてきた。

「つらかこと、全部忘れさせてあげる」

彩夏は大田の男性自身をいきなり口へ含んだ。

その晩の大田は荒々しく何度も彩夏の中に果てた。

第十六章　決断

上原議員は奥村局長にレストア・キッドニ移植を制限するための法案を作らせ、それをもって臓器移植に関心を持つ議員への働きかけを積極的に進めていた。レストア・キッドニ移植を保険適用外の手術にし、それでも強行するのであれば、保険医指定から聖徳会を外すことも視野に入れていると公言していた。

一方、弁護団は訴訟の準備を整え、あとは訴状を提出するだけのところまで漕ぎつけていたが、判決が下るのは何年先になるかわからない。その間、レストア・キッドニ移植が封じられてしまえば、救える命も救えなくなってしまう。

すでに高倉治子の容態は限界に達していた。日野は先行きが見えないまま、これまでに協力してくれた病院に、摘出される腎臓があれば連絡してほしいと頼み込んでいた。適合すれば、高倉治子に移植手術を受けさせたいと思っていた。

治子はトイレに行くのにも這うようにしてベッドから降りていた。見舞いに来る裕美の表情も次第に悲痛さを増していった。

高倉治子のカルテを眺めながら、可能な限りの治療法を考えた。

「長崎の沢藤万理先生から緊急の連絡です」泌尿器科の看護師が大きな声で告げた。

カルテを机に置き、日野は受話器を取った。

「難しい状況の時に、どうしたものかと思っているのですが、ご依頼のあった腎臓ですが、三日後に摘出手術をすることになりました。三センチ大のがんはありますが、取り除くことは十分に可能です。送っていただいたデータと照合しても、適合性には問題ありません。どうなさいますか」

沢藤も透析患者を取り巻く厳しい生活環境に心を痛め、レストア・キッドニ移植に共感してくれた数少ない医師の一人だ。

「ドナーの同意は得られているのでしょうか」

「ええ、当病院としても後々のことがあるので、現段階では口答で同意を得ていますが、移植ということになれば、同意書に署名してもらいます」

「わかりました。うちの方も患者の意思を確認した上で、折り返し返事をします」

電話を切ると、「会議室に高倉治子さんを連れてきて」と看護師に命じた。

間もなく加藤看護師長が押す車椅子に乗って治子がやってきた。そばに裕美もいた。

「ちょうどよかった」日野が裕美の顔を見ながら言った。

治子を挟んで左右に加藤看護師長、裕美が座った。

「たった今、長崎県I市の病院からがんの腎臓だが、提供してもいいというドナーがおると連絡を受けた。どげんするかあんたの気持ちを聞いてから返事すると相手には伝えてある」

治子は操り人形が首を持ち上げるようにして日野を見た。視線が日野と絡み合った。

「お願いします」

死期が迫っている病人とは思えないほど目には精気がよみがえっていた。そんなふうに日野には思えた。

「加藤君、同意書がわしの机の中にあるから持ってきてくれ」

若い看護師がすぐに同意書を持ってきてくれた。日野は以前の説明を繰り返した。

「納得したなら、ここに署名と印鑑を押してくれ」

治子が震える手で署名した。その間に裕美がベッド横のサイドボードに保管してある印鑑を持ってきて、治子に代わって捺印した。

「こんな瞬間がきっとくると信じて用意してました」裕美が答えた。「日野先生、長崎の病院に連絡する時、私たちが心から感謝しているとドナーに伝えてもらうようにお願いしてください。希望をいただきましたって」

「わかった。そう伝える」

「衰えていく母を見ていると、暗闇に引きずりこまれるような気持ちになった。絶望と希望の両方が私の心の中にあって……。母もそうだったと思う。この気持ちは絶対に忘れてはならんような気がする」

裕美は涙をこらえながら自分に言い聞かせるように言った。数年後、裕美は優れた看護師になると日野は思った。

移植は一分でも早く着手した方がいい。長崎県I市の病院から陸路より船で運んだ方が早く確実だった。「レストア・キッドニ移植への理解を求める会」代表の向山隆次に連絡すると、I市の港に当日の午前中から漁船を待機させると言ってくれた。

その日、午前十時には腎臓が摘出され、緊急車両で港に運ばれた。それを受け取ると、向山がA港に向けて出港した。

船は予定より早くA港に接岸した。待機していた聖徳会病院の車で直ちに運ばれてきた。

日野は高倉治子の病室を訪ねた。

「今、届いたから準備が整い次第手術を始める。よかね」

「はい。よろしくお願いします」

枕元には裕美がいて、ずっと治子の手を握り締めている。腕はシャントを作った痕が痛々しいほど盛り上がり、指は枯れ枝のように細かった。

三階の手術室に上がると、直井医師と加藤看護師長が手術準備を着々と進めていた。麻酔医も入念なチェックを繰り返していた。日野は移植に当たる全スタッフを集めた。

「みんなも承知している通りレストア・キッドニの移植については様々な批判が出と

る。しかし、今回の手術に関しては、手続き上の不備はなか。それは安心してもらってもよか。がんに侵された腎臓が果たして再発、転移の恐れがないのかと言われれば、これまでの経験から一度もないと答えるだけで、医学的に明確な根拠がわし自身にもなか。だから実験的医療と言われればそれまでたい。

しかし、わしは死に瀕している患者の命ばなんとかして救うのが医師の使命と思うとる。わしは手術の後、この事実をマスコミに自ら発表するつもりたい。しかし、どんな批判、非難がこようともすべての責任はわしにある。患者の命を救うために、全員で手術にあたりたか。よろしくお願いします」

日野は全員に頭を下げた。

やがてストレッチャーで治子が運ばれてきた。手術室の前で治子を迎えた。入口まで裕美が付き添ってきた。

「大丈夫たい。きっと成功する」

手術室のドアが閉まる直前に裕美に声をかけた。

白井は沼崎に連絡し、船橋の身柄が成田署から富士吉田に移送されたと告げた。保護責任者遺棄致死の疑いと臓器移植法違反の容疑で逮捕状を請求したのだ。しかし、それはあくまでも別件で本命は王小紅の殺人だ。白井には船橋を自白に追い込む自信はあった。

成田署は船橋の了解を得た上で、頭髪を任意で提出させていた。それはすぐにDNA鑑定に回された。王小紅が着ていたダウンのコートに付着していた毛髪のうち一本は高倉治子のものだと鑑定結果が出ていた。

白井はそれまでの捜査経緯から取り調べを一任されていた。重責でプレッシャーを感じるが、このヤマを落とせば刑事として箔が付く。

取調室に入った船橋は成田署で釈放されると思っていたらしく、ふてぶてしい態度で椅子に踏ん反り返るようにして座った。

「保護責任者遺棄致死だの臓器移植法違反だのとまったく根拠のない話だよ」

船橋は嘲りの笑みを白井に向けた。

臓器移植法違反容疑は、沼崎に取材され映像を撮られ、並川良子や夫の順造を聴取すれば、船橋が介在していることは明白で、臓器移植法違反については船橋も認識はしているだろう。しかし、移植手術は上海で行われている。容疑はあったとしても実際に裁判でどこまで罪を問えるのか、はなはだ危うい。

保護責任者遺棄致死については、王小紅の殺人につながるだけに、船橋は当然否定するだろう。

「甲府の船橋総合病院では透析はやっていねえずら?」

白井は山梨県の方言で聞いた。船橋は何も返答しなかった。船橋総合病院は船橋の父親が中心となって経営が行われ、長男も長女夫婦もその病院の医師として勤めている。

「せっかく明昭医大を卒業しているのに、医者にならねえで上海あたりでブラブラしているんだから、本当にうらやましい」

白井はなかなか取り調べには入ろうとしなかった。

「刑事さん、あんた何が言いたいんだ」

「あんたが羨ましいってことよ。まあ、オヤジさんの立場にしてみりゃそんな暢気なことも言ってられねえけど……。あんたの逮捕を知り頭抱えているって聞いたさ。患者にしてみれば、いつ腎臓を取られるかわかったもんじゃねえし、足が遠のくのは仕方ねえなあ」

「そんなことは俺の知ったことではない」

「そうだな、船橋病院の御曹司も落ちるところまで落ちたもんだ」白井も船橋を小ばかにするように言った。「ところで、王小紅だけど、いつ頃知り合ったのか、その辺りから話してくれよ」

「覚えてない」

「覚えていないか。でも移植コーディネーターとして王小紅の腎臓を斡旋したのはあんだという証言はいくらでもあるぜ。客観的な証拠も揃っているし、中国の警察もお前一人が全部罪を背負ってくれれば、こんな楽なことはない。日本鬼子《リーベンクイズ》って反日運動の材料に使えばいいんだからなあ」

「何の証拠があるっていうんだ。そんな子供騙しのような手を使いやがって……」

「まあ、子供騙しかどうか、黙秘したければすればいいさ。どうせ裁判になりゃわかるんだから。それにしても上海警察の取り調べもたいしたもんだ」

白井は臓器売買に関する事実関係を、上海警察から入手しているような思わせぶりな話し方をした。

「何を持っているか知らんが、俺は上海警察に王小紅の話など何も話しちゃいない」

「そんなことを誰が信じると思う。よく考えてみろよ。何故中国から強制退去になったんだよ」

「上海の滞在が長くなると思って三ヶ月滞在できる査証を取得して行ったが、延長できずに追い出されただけさ」

「お前、本気でそう思っているのか。気は確かか」

船橋は酸素不足の金魚のように口を半ば開けたままポカンとしている。

「王小紅の腎臓斡旋売買をしたと証言する自白調書に署名し、拇印を押しているではないか」

「自白した覚えなどない」

「そうは言っても、調書に押された拇印はお前の指紋そのものだ」

船橋は視線を落とし、忘れ物をどこに置いてきたのか、必死に思い出そうとしているような顔をした。

「俺が拇印を押したのは、出国の時、二度と入国管理法の違反をしないという誓約書だと説明され、その書類に五、六通押したくらいだ。自白調書に押した覚えはない」

船橋の表情に鼻と口を同時に塞がれたような脅えが浮かんだ。

「覚えはなくとも調書はインターポールを通じて送られてきたものだ。もう一度確認するが、王小紅と最初に会った期日については黙秘ということでいいんだな」

白井は強い口調で確認を求めた。船橋は完全に黙秘した。

「腎臓売買の話を王小紅に持ち出したのはいつ頃なんだよ」

船橋はこれについても黙秘した。その後は王小紅について何を聞いても完全黙秘だった。

「黙秘したけりゃどうぞ、御曹司。物的証拠がこれだけ揃っていれば楽勝さ」

白井は唇に押し殺した笑みを浮かべた。

「ところで、上海の陳安博先生だけど、明昭医大の頃からずいぶんと気が合ったらしいな」

白井とは視線が合わないように船橋は斜め右方向を向いたままだったが、陳安博の名前を出すと、一瞬白井の方を見た。上海警察の報告書によれば、陳安博院長は明昭医大に留学していた。その頃に二人は知り合っている。

明昭医大の教授や同級生への聞き込みでは、陳安博はそれほど裕福には見えなかったが、医大が休みに入ると上海に帰郷していた。その旅費は船橋が負担していたという噂だった。上海で船橋はホステスを相手に遊びまくっていたようだと複数の同級生が証言した。

「学生の頃、陳安博の面倒を見ていたらしいな。最も船橋総合病院の御曹司だから金はどうにでもなったんだろうけどな……」

「まあな。刑事さんの給料はいくらだか知らんが、俺はそれなりの金を自由に使わせてもらっていたさ」

「羨ましい限りだ。因みに御曹司の学生時代の小遣いはどれくらいだったんだ」

「月末には百万円を振り込んでもらっていた」

白井は絶句した。

「刑事さんの月給はいくらくらいなんだよ。俺よりも何歳か若いぐらいだろ?」

「その件についてては黙秘するよ」白井はおどけながら答えた。「でも、それだけの小遣いをもらって陳安博にはいろいろやってやったようだが、陳院長は船橋に騙され利用されたと怒って事実をすべて自白しているよ」

「自白……」

船橋の心には不安が広がり始めたようだ。

「恩を仇で返されたようなもんだな」白井が独り言のように言った。

「どういうことだ」船橋が聞いた。

「お前が署名した調書にすべて書いてあるよ。一晩落ち着いてよく考えてみることだ。黙秘したけりゃするがいいさ。送られてきた調書に証拠を付けて地検に送るだけだから」

白井は白紙のままのノートを閉じて「明日また聞かせてもらう」と取り調べを止めてしまった。

翌日、取調室に連れてこられた船橋は寝不足の顔をしていた。不安で眠れなかったのだろう。陳安博院長がすべて自供し、罪を船橋に擦り付けたような印象を与えることには成功した。上海警察からの情報などないに等しい。送られてきた書類は滞在資格を失ったにもかかわらず上海に留まった罪状が記されていたに過ぎない。

「臓器売買の話をするのは嫌らしいから、今日は昨年末の話を聞かせてくれ。あんたが上海に渡る直前の頃の話だ。半年前のことだし、忘れてはいないだろう」

「半年前のことなんか覚えているか」船橋はふてぶてしい口調で言った。

「十二月十五日の夜のことを思い出してくれよ」白井はすがるように言った。

「そんなことを言われても思い出せるはずがない」

「では、この写真を見てくれ」

白井は王小紅が発見された時の写真を三枚ほど机に並べた。船橋は視線を右斜め上にやり、白井と視線が絡み合うのを避けた。都合が悪くなると右斜めに視線をやる癖があるようだ。

王小紅の死に顔がいちばん鮮明に映っている写真を左手で取ると、船橋の視線を遮るように高くかざして聞いた。

「この女が樹海に放置され凍死していたんだ。見覚えのある顔だよな」

船橋が視線を落とした。

机の上に写真を放り投げた。

「彼女の着ているダウンのコートにも見覚えがあるだろう」

船橋は何も答えない。

「黙り込むというのは黙秘か、御曹司。黙秘なら黙秘って調書に書くよ」

「そんなコートは知らねえ」

「そうか。もう一度聞く。十二月十五日の夜、正確には午後七時三十九分だが、あんた、熊本市の〈リエゾン〉っていう店でこのコートを買わなかったか？」

「だから記憶にないと言っているだろう」

船橋は明らかに焦っていた。

「間違いなくあんたに売ったと証言するアルバイト店員がいるんだが……」

船橋はホッとしたのか大声を上げて笑い出した。「あんなコートいくらでもあるだろう。その店員が何を証言したかしらんが、それだけで俺を逮捕したなら、山梨県警は後で大恥をかく羽目になるぜ」

「まあ、そんなに笑うな。話は最後まで聞くもんだ」諭すように白井が言う。「警察もそれを鵜呑みにして逮捕状を請求したわけではないさ」

店員が正確に記憶していた理由を説明した。「その証言を裏付ける物証もある」

「物証……」船橋が訝る顔をした。

「ダウンのコートには五本の毛髪が付着していた。ＤＮＡ鑑定によってそのうちの一本がアルバイト店員の母親のものだということが判明した。御曹司が買う一日前に母親が試着した時に付着したとみられる」

「刑事さん、それはその店員が売ったダウンコートだという証明にはなるが、俺が買ったことにはならねえだろう」

「だから話は最後まで聞くもんだ」白井は成績の悪い生徒を叱る教師の口調で言った。

「残りの四本は誰の毛髪だと思う」

「知るか、そんなこと。他の客が試着した時に付いたものだろ」

「俺たちもそう思ったよ。でもな、成田署で御曹司から任意提出してもらった毛髪とDNA鑑定が一致したんだ」

「刑事さん、俺をバカにしているのか。一日や二日でDNA鑑定ができるわけがなかろう」

「御曹司は明昭医大を卒業しているんだったな。まあ、国家試験には合格しなかったようだが……」白井が船橋をさらに苛立たせるように言った。「でもダイレクトPCR鑑定の結果は完全に一致する。正式な鑑定はもう少し時間がかかるようだが、九分九厘御曹司のものだと鑑識から報告を受けているんだ」

ダイレクトPCRはDNA抽出の際に必要なプロセスを簡略化した検査方法だ。

「俺の毛髪がコートに付くはずがない。成田署で提出したものをコートに付けたんだろう。完全な冤罪だ、これは」

「成田署で提出してもらった毛髪は確か三、四センチほどのものが三本だ。それは千葉県警が保管している。その毛髪が二、三日で二倍の長さにでも伸びない限り、七、八センチほどの毛髪四本をコートに付けることは不可能だぞ」

船橋の表情から血の気が失せていくのがわかる。顔面蒼白だ。

「大丈夫か、御曹司」白井が船橋の顔をまじまじと見つめながら聞いた。もうすぐすべてを自白すると白井は思った。「どうして御曹司の毛髪が付いたのか、教えてもらえんか」

「知らん。そんなはずがない」

「そう言っても付いていたものは付いていたもので、事実は曲げようがねえよ。ではこの点についても否認ということでいいな」

白井はノートを開いた。「黙秘も否認もかまわないが、ますます不利になるぞ。これだけ物証が揃っているのに否認していると」

船橋はいつ付着したのか懸命に記憶を辿っている様子だった。

「付くはずがない。付くはずがない。ウソだ」船橋は読経のように同じ言葉を繰り返した。まるで自分に言い聞かせているようだ。

「御曹司は甲府で生まれ育ったんだよな」船橋は白井を落ち着かせるために矛先を変えた。

「ああ、そうだが」

「富士山の周辺なんかずいぶんドライブしたんだろうな。月に百万円の小遣いもあったんだ。高級車なんぞを乗り回していたんだろう」

「ＢＭＷかアルファロメオに乗っていた」

「豪勢なもんだ。それで富士五湖周辺を走っていたんだ」

「ああ」

「どうりで樹海周辺の地理にも詳しいわけだ」

船橋の頬が痙攣したように引きつった。

「体力もありそうだし、県道に車を止めて女一人くらい担いで樹海に放置するくらい簡単だろう」

「だからさっきから濡れ衣だと言っているだろう。保護責任者遺棄致死容疑なんていうのは何のことだか俺にはさっぱりわからん」

「いつ俺がそんなことを言った。あんたには殺人の容疑がかかっているんだよ」

取調室のクーラーは除湿機能のボタンが押してあるだけなのに、船橋はガタガタと震え始めた。

「全部話してくれよ」白井が事務的な声で聞いた。

「俺は知らない。殺してない。犯人は俺ではない」

「それならそれでいいが、最初から説明してもらえんか」

「確かにダウンのコートは俺が買ったものだが、それは王小紅が東京は寒いからというので買ってやったんだ」

「なんで東京に?」

「王小紅は金目当てに再来日したんだ」

船橋は中州のクラブを飲み歩いている時に、来日して間もない王小紅と中国人パブで出会った。共健製薬の営業をしていた経験から、腎臓移植を望んでいる透析患者が多いのは熟知していた。

「慈愛会の大田院長から移植を希望している患者が、身内にいると聞いていた」

「それでホステスの王小紅を欺いて腎臓を摘出したのか」

「飲んでいる時に、話題が中国の移植事情になったんだ。死刑囚の臓器が十万、二十万円程度の金で売買されているって。その時に、私は一万ドル以上なら考えてもいいと言ったのが王小紅だった。そんなものは冗談だと最初のうちは聞き流していたよ、俺も」

しかし、王小紅はよほど困窮していたらしく、逆に船橋に自分の腎臓を買う患者はいないかを聞いてきた。たとえいたとしても日本で移植手術をすれば、臓器移植法に抵触する。

「その話を大田院長にしたら彼は乗り気だったよ」

大田院長も陳安博とは明昭医大時代にすでに面識はあった。

「移植手術は可能かどうか、俺は陳安博に聞いたら五百万円を要求された」

「合計八百万円か、移植手術の経費は」白井が聞いた。

「まず王小紅に三万ドル渡して、成功報酬として十万ドルだ」

報酬の分け前は陳安博に五万ドル、船橋の取り分が五万ドルだった。船橋の口座には、この時期に十万ドル相当の金が入金されている。

「いい商売だな。博多のクラブを飲み歩いてドナーを探し、仲介役をするだけで五万ドル、つまり五百万円があんたの取り分っていうわけだ」

「まあな。しかし、王小紅はいざ摘出となると恐ろしくなり、金を返すと言い出した。すでに計画は進行中で、レシピエントは上海に来ているし、そんなわけにはいかない。陳安博に無理を言って摘出してもらったよ」

「ひどいことをするもんだ」

「その報酬として三万ドルをあいつは手にしたんだ」

船橋に悪びれる様子はなかった。

「レシピエントは上原議員の娘だというのは知っていたのか」

「上海ですったもんだしているうちに、大田の身内ではなく並川良子だとわかった」

王小紅は手術後、不調を訴えて陳安博院長を訪ねたが、体調はいっこうに回復しなかった。摘出手術の後遺症によるものなのか、あるいは別の理由なのかははっきりわからないが、彼女は日本での治療を考え、その治療費をレシピエントに要求しようとした。裏金を使って看護師に頼み込み、上海大学付属大山病院から並川良子のカルテを密かにコピーして所持していた。

アジアン・ワイドプロに博多で働きたいと頼み込み、再来日したのと同時に治療費を要求した。

ことを公にしたくない並川順造はすぐに治療費を用意した。王小紅は東京に取りに行くと譲らなかった。

「金を受け取った後、東京を観光してから帰国すると言っていた。東京は寒いからコートが欲しいというので買ってやったのが例のコートさ。俺は前日に並川の自宅を訪ね、金を受け取り、ホテルニューオータニのロビーで預かった五百万円を渡し、上海に戻るように勧めた。別れた後は、俺は王小紅とは会っていない。本当だ」

「それなら何故、王小紅の遺体が発見された直後に上海に逃げたんだ」

「逃げたわけではない。移植を希望する患者を上海に送るから、コーディネーターとして陳安博との間を取り持つように大田から頼まれた。その間の滞在費はすべて責任を持つという約束だった。会社も俺の営業のやり方が気に食わなかったらしく、クビだ懲戒だとうるさいから、こちらからケツをまくってやっただけさ。俺には王小紅を殺さなければならない理由はないし、ニューオータニで別れて以後は一度も会っていない。俺の毛髪がコートに付くはずがないんだ」

「まあ、そういきり立つなって。ニューオータニで別れた後のアリバイはこれからゆっくり聞くからよ」

白井の声は弾んでいた。

白井は義理堅く、沼崎との約束を守り通してくれた。取り調べの様子を伝えてくれた。船橋がどこまで自白したかによって、日曜日の放送内容が決まる。

船橋が王小紅の死に関係していることは想像できるが、殺す動機も明確になっていない。

しかし、白井は強気だった。

「治療費を渡して別れた後のことは一切知らないと船橋は主張していますが、ハルシオンを用意するなど犯行は計画的です。山梨県出身の船橋なら樹海の地理にも詳しく、遺棄する場所はすぐに思いついたはずです」

凍死自殺と見せかけるために船橋はダウンのコートを熊本市内の店で購入した。熊本まで足を延ばしたのも、福岡市では購入しているところを顔見知りに目撃される可能性もある。それを警戒したのだろう。

凍死は低体温状態が長い時間続いて起こるもので、寒過ぎると意識が覚醒し、凍傷になるだけで死ねないことが多い。それを医学部卒の船橋は熟知していた。睡眠薬を飲ませた後、ダウンのコートを着せて、自殺に見える場所に王小紅を置き去りにした。

上海で移植ビジネスを展開しようとしていた船橋には、王小紅を殺す動機は十分ある。白井はそう考えていた。

「船橋のミスは彼女を肩に担いで運んでいる最中に船橋本人の毛髪が付着したことです。おそらく現場に運んでくる時にでも抜け落ちたものでしょう」

白井は船橋のアリバイを追及しながら、犯行を自白させるつもりでいるのだろう。

エピローグ　足元の真実

沼崎は平山プロデューサーに呼ばれた。

「これだけのスクープです。番組に出演してください」

「私が出てはまずいのでは……」

「事実を積み重ねた取材です。視聴者もわかってくれるはずです。万が一クレームがあれば、私が責任を持って対応します」

平山の言葉に背中を押されて沼崎はスタジオ入りした。


「今日の報道スクープは昨年末、青木ヶ原樹海で発見された女性遺体の続報です。左側の腎臓が摘出されていたことから聖徳会日野病院の臓器売買事件に関係しているのではと思われましたが、遺体の身元が判明、女性は上海出身の王小紅さんでした。富士吉田署は他殺の疑いが濃厚と見て、自称海外移植コーディネーターを名乗る船橋甫を保護責任者遺棄致死と臓器移植法違反の容疑で逮捕しました。この事件を遺体発見から追及している沼崎ディレクターのレポートです」

安斉キャスターが冒頭で特集の内容を伝えた。

「事件はとんでもない展開を見せていますね」

隣に座った沼崎にコメントを求めた。

「こんな展開になるとは夢にも思っていませんでした。このレポートをするに当たってまず聖徳会病院のスタッフ、そして日野誠一郎医師に心から謝罪したいと思います。聖徳会病院で行われた移植手術の中にドナーが不明なケースがあり、樹海の遺体と関係しているのではないかと番組でレポートしましたが、遺体と聖徳会病院はまったく無関係でした」

沼崎は深々と頭を下げた。打ち合わせにはないコメントで安斉が戸惑っている。

「王小紅さんの腎臓は上海大学付属大山病院で摘出され、その腎臓は上原衆議院議員の家族に移植されました」

「上原議員といえば、今お話の中に出てきた聖徳会病院で行われたレストア・キッドニ移植には医学的根拠はないとして日野医師を批判し、手術を保険適用外にしようと活発に動いていています。海外での移植にも批判的ですよね」

並川良子の名前は伏せ、上原議員との具体的な関係も明らかにしないことにした。

「いったい王小紅さんに何が起きたのでしょうか」

上海郊外の家で両親が、小紅が日本から帰国した時の様子を語る映像が流れた。

「彼女はたった三万ドルで腎臓を上原議員の家族に売ったということですか。上原議員が臓器売買に関わっていたということでしょうか」

「警察の捜査を見守る必要がありますが、道義的責任は免れないと思います」沼崎はカメラを見据えて答えた。「その仲介役をしたのが船橋甫です」

強制送還の模様が流れた後、映像は上海大学付属大山病院のビルが映り、陳安博院長のインタビューの様子が流れた。陳院長が日本人の移植については船橋甫に一任していると語っている。

「コーディネーターと言えば聞こえがいいですが、いつから船橋は臓器売買の斡旋をするようになったのでしょうか」

「船橋は明昭医大を卒業していますが、医師免許は持っていません。しかし、当然医学的知識は豊富で、彼の在学中に陳安博医師は明昭医大に留学しています。二人の関係はこの時にできたものと警察当局は見ているようです。これまでに行われた移植が上原議員の家族一ケースだけなのかどうかは今のところ不明ですが、しかし、今後この『ビジネス』を拡大していく計画だったようです」

「透析患者は二十六万人とも二十七万人とも言われていますが、彼はどうやって海外移植の希望者を見つけたのでしょうか」

「船橋は製薬メーカーの営業マンとして抜群の業績だったようです。福岡、熊本県などの大きな総合病院、大学病院への薬品のセールスを一手に任されていました。そこで経済的に余裕のある患者に接触することは可能だと思います。少なくとも慈愛会病院の大田院長との関係は製薬会社時代にできています」

「慈愛会の大田院長とこの事件はどのように関係しているのでしょうか」

「上原議員の後援会長を務めるなどして二人は旧知の仲です。選挙区にある病院でもあり、上原議員は全幅の信頼を寄せていたと思われます。この病院で議員の家族は移植に関係する検査を受け、そのデータを持って上海に行っています」

大田が取材に対して怒り、言葉を荒らげるシーンがそのまま放映された。

「王小紅さんが一回目の来日で博多のホステスをしていた頃、船橋と出会い、腎臓を提供する約束をします。そして上海で摘出手術を受け、体調を崩して再来日します」

「再来日した目的は何ですか」

「彼女は一度腎臓を提供することを約束しますが、実際にいざその場になるとお金を返すと言い出し、提供を拒否します。しかし、すでにレシピエントは重い症状にもかかわらず上海に来てしまっていました。陳安博院長はそんな彼女から強引に腎臓を取り出し、レシピエントに移植を強行します。王小紅がベッドで目を覚ますとすべてが終わっていました。摘出手術の後遺症なのか体調がすぐれず、治療費をドナーから援助してもらうつもりで彼女は再来日を果たします。彼女が治療を受けようとした病院が聖徳会日野病院でした」

「どうして聖徳会で診察を受けようと思ったのでしょうか」

「彼女が暮らしていたアパートのオーナー夫人が聖徳会で透析を受けていましたが、彼女から話を聞き、同情して聖徳会を紹介したようです。船橋やレシピエントの夫は金で解決しようとしたようですが、レシピエント本人には、こうした事実はいっさい知らされていません」

「日野医師に慈愛会が上海移植にかかわっている事実を知られ、ましてやマスコミに知られれば上原議員や大田院長は身の破滅と思って、船橋を使ってハルシオンを彼女に飲ませ、樹海に遺棄させたということでしょうか」安斉キャスターが核心部分を聞いた。

「そのように見て山梨県警は取り調べを進めていますが、結果は捜査の進展を待つしかありません。今、こうした事実が明らかにされ、レシピエントは激しく動揺されていると思います。しかし、あなたは死体腎を移植されたと説明をうけていたはずです。明らかになった事実はつらい現実だと思いますが、どうか冷静に受け止めてくれぐれも早まったことなどなさらないようにお願いしたいと思います」

「沼崎さん、一連の取材を終えて今どのような感想をお持ちですか」

安斉キャスターがまとめのコメントを求めた。

「ドナーが圧倒的に少ない現実が背景にあります。腎移植希望を登録した透析患者は約一万二千人、合同調査委員会声明に署名を拒否した津久見医師によれば、レストア・キッドニ移植を行えば、現在移植を希望している患者は十年以内に全員移植を受けられることになります。それを実現するためには組織的な医学的検証は必要ですが、調査委員会が出した声明のようにやみくもに否定すべきではないと思います」

「厚労省も学会声明を受けて医学的根拠がないとしています。上原議員は保険の適用を見合わせるように動いています。何故ですか」

「年々膨らむ医療費ですが、透析関連医療費は一兆二千五百億円。一説には二兆円市場ともいわれています。レストア・キッドニ移植を受ければ、透析治療の煩わしさから解放されて有意義な人生を送ることもできるし、普通に働くことも可能になる。結果的には膨らむ一方の医療費が抑制される。しかし、それを快く思わない医療関係者が残念ながらいることも現実です」

「つまり二兆円市場に群がる医療関係者ですね」

「透析専門病院、医薬品・医療機器メーカーは大打撃を受けることになるでしょう」

「そうした思惑と上原議員、大田医師が無縁とはとても思えませんね。今後も当番組では捜査の進展を見守っていくつもりです。沼崎さん、今日はどうもありがとうございました」

番組が終了すると、平山プロデューサーが駆け寄ってきた。聖徳会への謝罪コメントと並川良子へ呼びかけたコメントは打ち合わせをしていなかった。沼崎は責任を取り、身を引く覚悟はできていた。

「お疲れさま」労をねぎらう言葉が返ってきた。

「申し訳ありません、勝手なことをして」

「いや、あれで良かった。心配することは何もありません。何かあればすべて私のところで処理します」

安斉キャスターもそばに来て囁いた。「沼崎さんも結構やるものね」

番組関係者が沼崎のところに集まってきた。若いディレクターが言った。

「すごい反響です。ここ三年のうち最高の視聴率になると思います。局の電話が鳴り止みません」


船橋は臓器移植法違反については認めたものの、保護責任者遺棄致死容疑についてはは依然否認を続けていた。富士吉田署は殺人容疑で再逮捕し取り調べを続行した。王小紅のダウンのコートに付着していた四本の毛髪は決定的な証拠のはずだが、船橋は警察の証拠捏造だと主張しているという。

上海に渡ったのは、王小紅の遺体が発見され、身の危険を感じたからではなく、移植ビジネスが成立すると本気で考えたからだ。経済的余裕のある患者を上海大学付属大山病院に紹介して、移植を受けさせるプランを大田とともに本気で考えていたらしい。その窓口として船橋が最適だと大田も判断したようだ。

物的証拠から判断すれば犯人は船橋以外には考えられない。

沼崎は霧の山中に迷い込み、何度も同じ道を歩いているような気分だった。どこか腑に落ちないものがある。沼崎は自宅マンションの駐車場から何ヶ月も乗っていない埃の積もったホンダフィットを出して、富士吉田署を訪ねてみることにした。

梅雨シーズンの降るでもなく降る霧雨で中央高速道の路面はぬれていた。大月ジャンクションから富士吉田に向かった。都留を過ぎた頃から雨はしだいに止んできて、時折雲の切れ間から日が差し込むようになってきた。朝早く出発したために富士吉田には正午前に着いた。

沼崎は富士吉田署を通り過ぎ、暇つぶしに県道七一〇号線を走ってみることにした。青木ヶ原の樹海が車窓に流れる。遺体を発見したのはわずか半年前のことだ。雲の流れは速く、青空が視界に広がってきた。

「確かこの辺りだったよな」

沼崎は王小紅の遺体発見現場を思い出していた。遺体は遊歩道と県道七一〇号線の中間に位置する樹海の中に遺棄されていた。

雨はすっかり上がり、空が透き通るように晴れて、眼前に聳え立つ富士山が広がった。沼崎はブレーキを踏み、車を止めた。地上に突き刺さる稲妻のような閃きが走った。沼崎はユーターンして、今来た道を大急ぎで戻った。

中央高速道を調布インターで降りて、並川の家に向かった。近くのコインパーキングに車を入れて、並川宅の呼び鈴を押した。

「どちらさまですか」男の声だった。

良子の声もお手伝いさんの応対もなかった。

沼崎は並川良子本人から直接にどうしても聞きたいことがあって、訪ねてきたことを告げた。男はすぐに出てきて門扉を開いた。

「沼崎さんですね。一度、電話でお話ししたことがあります」

並川順造だった。沼崎を応接室に招きいれた。

「先日の放送の時は家内へのお心遣いありがとうございました」

並川は放送を見ていたようだ。

「良子さんは何時頃お戻りになりますか」

「多分、家内もお手伝いさんも戻ってこないと思います」

並川は魂を抜き取られたような顔をしている。話をしていても表情がなく虚ろだ。

「私の友人の弁護士事務所に先ほど出かけていきましたが、そのまま山梨県警に自首することになると思います」

「やはり……」

「私は昨夜家内から話を聞くまでは、家内が王小紅さんを樹海に捨てた犯人だなんて想像すらしませんでした」

「事件当日のアリバイがなかったのが船橋と、それとはっきりしていなかったのが奥様です」

「あの夜はある番組のうち上げで、私が帰宅したのは明け方でした。翌朝、家内もお手伝いさんもいつも通りで異変は感じませんでした。でも家内はあなたがいずれ気づくだろうと言っていましたが、どうしてわかったのですか」

移植を受けて元気になったとはいえ、ハルシオンで眠りこけている女性を一人であの場所に放置するには無理がある。警察も最初から並川良子は捜査の枠から外していた。

「今日、樹海を貫く県道七一〇号線を走っているうちに、この写真にそっくりなアングルの富士山が見えました」

お手伝いさんは写真が趣味だと言っていた。撮影のために富士山周辺を歩いた経験はあったのだろう。しかも遺体があった場所は、飾られている写真の撮影ポイントからわずか数百メートルの距離だ。

「王小紅は並川さんのご自宅を知っています。もし彼女が直接ここを訪ねてくれれば、ハルシオンを飲ませて深夜の樹海まで運ぶのは可能ではないかと考えてみました。車を路肩に止め、二人で運べばそれほど困難ではありません。二人で両脇を抱えて現場まで連れて行ったのではないかと想像してみました」

「お手伝いのサトさんには、良子が入院している時は介護までしていただいているのに、こんな事件に巻き込んでしまい心から申し訳ないと思っています」

並川がうなだれるように言った。

「良子は元気になり、私はどんな経済的援助も王小紅にするつもりでした。彼女が要求する一千万円を用意し、この応接室で船橋に託しました。でも船橋は半分を自分で取り、五百万円だけを彼女に渡しました」

上海に渡る直前に、船橋は自分の口座にその五百万円を入金しておいたのだろう。

船橋はニューオータニから王小紅に金を渡したと並川に確認の電話を入れてきた。並川はその連絡を受けてから外出した。その直後に王小紅が訪ねてきたのだ。

「王小紅さんに一千万円が渡らず、マスコミに事実を公表すると良子を脅迫したのです」

良子はその時すべての事実を知った。

よほど手術の後遺症がひどかったのか、聖徳会の日野医師の診察を受け、王小紅は治療が終わるまでは帰国する気はないと、強硬な姿勢を崩さなかった。良子はうろたえた。

「良子が上海で移植を受けた時から、すべての歯車が狂い始めました」

「ドナーである王小紅を何故殺そうとまで思いつめたのか、私にはわからないのですが……」

「父親を守りたかったということもあるでしょう。法外な治療費を要求され、マスコミに暴露するとも言われ、パニック状態に陥ったことも理由でしょうが、私にこれ以上苦労させたくないという気持ちからだと、私は思っています」

順造は良子に腎臓を提供していた。しかし、適合性に問題が生じ、移植した腎臓は一年ももたなかった。上海での移植費用、王小紅の治療費、さらには船橋への謝礼、上原は大田に弱みを握られ、船橋の上海での生活まで並川が支えなければならなかった。

「それをすべて断ち切るには、王小紅を殺すと同時に船橋を殺人犯に仕立てるしか方法がなかったのでしょう」

「良子さんが犯人ではと思ったもう一つの理由は毛髪です」

取材を申し込んだ時、拒否されると沼崎は思った。しかし、良子は快く取材を受けた。公人の娘だから受けたのだろうと最初は考えた。インタビューの中で、中国で移植を受けた事実や、病院名、執刀医まで明かしている。

「現地取材で船橋甫に私が辿りつくことを計算の上でそうしたのだと思います。私は彼女の描いたシナリオ通りに取材を進め、思惑通りに船橋を犯人に仕立てるニュースを流した」

良子は警察の手が万が一自分に伸びてくることを警戒し、王小紅の衣服に細工をしておいた。

応接室で並川は船橋と二人だけで会った。その時に船橋の髪の毛がソファに抜け落ちた。

「良子は心を病んでいました。ハルシオンはその頃、心療内科で処方してもらったものです。私が外出から戻り、ゴミ一つ付いていても大騒ぎになりました。来客があった時も、帰るのと同時にお手伝いさんが掃除していました。特にソファなどはロールクリーナーで何度もゴミを取っていました」

上海のサンワンホテルのロビーで見かけた船橋は、長い髪をしきりにかき上げながら新聞を読んでいた。

良子はハルシオンで王小紅を眠らせると、ロールクリーナーに付いていた船橋の毛髪を、彼女が着ていたダウンのコートに付着させることを咄嗟に思いついた。

「家内とサトさんは弁護士とともに今晩富士吉田署に出頭します。それまで報道は控えてやってもらえますか。勝手なお願いだというのは重々承知の上です。もう一つ頼みを聞いてくれますか。良子の部屋から王小紅さんが受け取った五百万円が出てきました。本来彼女が受け取るべき一千万円に戻してありますので、これをご家族に届けてくれますか。今の私にできる精一杯の謝罪です」

沼崎は並川宅を出ると、車でG局に向かった。夕方六時のニュースには十分間に合うが、報道は並川良子が山梨県警に自首するまで待つことにした。平山プロデューサーが局入りしたのは午後七時過ぎだ。その頃には原稿を書き終えていた。

原稿を平山に手渡すと、その場で読んで言った。

「ニュースに出演してもらえますよね」

沼崎は首を横に振り、新宿歌舞伎町に出た。やりきれない思いを吹っ切るには酒を飲むしかなかった。


梅雨明け宣言が出されたばかりだった。患者が元気になり退院していく時ほど、心が穏やかになる瞬間はない。高倉治子への移植は順調に進んだ。手術後、二、三日は血尿が出たが、それも次第に通常の尿に変わり移植は成功した。

病室から出た高倉治子はゆっくりとした歩調だが、一歩一歩生きていることを確かめるようなしっかりとした足取りだった。玄関に軽乗用車が横付けにされ裕美が運転席から降りてきて、母親に手を貸そうとした。

「一人で歩けるばい」治子が嬉しそうに言った。

直井や加藤看護師長、それに佐野事務局長まで玄関に出てきた。

「皆さんホントにお世話になりました」治子が深々と頭を下げた。「元気になって家に戻れるとは正直思うとりませんでした」

治子の本音なのだろう。それは治子だけではなく、病院の多くのスタッフが抱いていた恐れと言っても過言ではない。日野が手がけたレストア・キッドニ移植の四十三例目のケースは、日野自身にとっても大きな試金石になるはずだ。厚労省が保険適用についてどう対処してくるか、以前不透明なままだった。

「母が本当にお世話になりました。この日のことを私は一生忘れません。もうダメだと諦めかけた日も正直に言えばありました。でもそれは過ぎてしまった過去のことではなか。私の中の一部で、心の中に大切にしまってあります。知らん顔してヒョイと乗り越えられたような顔をしてはいけんと思うとです。日野先生、直井先生、加藤さん、みなさんありがとうございます」

裕美もそばに寄り添う治子も、そして加藤までが涙を流していた。

「早よ行かんか。わしは患者を待たせておるんだが……」

日野も年のせいか最近は涙もろくなっていた。

「これからどうなるんでしょうかね、レストア・キッドニ移植は」直井が聞いた。

「なんとか保険適用が維持できるようにすることと、社会的に理解を得られるようにするしかなか。マスコミに叩かれるのは別にかまわんが、助けられる患者を死なせるのは医師としては敗北のような気がする」

こう言って日野は泌尿器科の診察室に戻った。


大田は無風状態の大海を漂う帆船のようなものだった。

東京地検特捜部は、慈愛会が建設予定中の透析専門病院にまつわる贈収賄容疑で、大がかりな捜査を展開していた。

上原議員の自宅、議員宿舎、議員会館、慈愛会と大田院長の自宅、厚労省と奥村局長の自宅、共健製薬と松嶋常務の自宅と捜査は広範囲に及んでいた。全容の解明にはまだ時間がかかるようだが、聖徳会病院と日野への批判の背景にあるものが次々に暴かれていく。すべてが明らかになるのも時間の問題だろう。

上原議員へ政治献金を行っている企業は、「ＭＴＯ（メディカル・テクノ・オオサキ）」「ＪＣＭ（ジャパン・クリエイティブ・メディック）」「ＧＭＳ（グローバル・メディカル・サービス）」などだが、いずれも有数の透析機器メーカー、あるいはそれに付随する機器メーカーだった。また「ミスズ薬品工業」「沢ノ崎薬品」「共健製薬」「大日薬品」は大手の製薬メーカーだが、透析治療に関連する薬品を取り扱っている。

中でも共健製薬が群を抜いて多額の献金を行っていた。船橋から大田が透析病院の建設を計画していることを聞いた松嶋常務は、九州管内のシェアを拡大するために、大田に接近した。

大田はY市のかんぽの宿を安く買収し、そこに透析病院を建設し外科病棟を移転させる計画を持っていた。慈愛会の傘下とは違う独自の病院を建設する計画だった。慈愛会病院の大きな収入は外科で、特に老人医療の占める割合は高かった。温泉を取り入れた治療を行えば、患者の大部分を取り込むことができる。そこで透析患者の治療を行えば、経営はさらに安定する。

慈愛会には知られないように、かんぽの敷地と建物の購入資金はすでに準備ずみだ。共健製薬から上原に裏金が流れ、厚労省、日本郵政グループにばらまかれた。買収話はもう一歩のところまで進展していた。共健製薬には上原の選挙基盤は大田が受け継ぐ約束になっていることを告げた。九州管内での勢力拡大を推進できると松嶋常務は考えて、上原に買収を円滑に進めるための工作資金提供をしていたのだ。

熊本県北部、福岡県南部の透析患者を新たな病院で治療するためには、聖徳会病院そのものが邪魔だった。ましてやレストア・キッドニ移植を進められてしまえば、患者は当然聖徳会に流れる。それを阻止するためには、日野医師からメスを取り上げるしかなかった。

透析病院の経営を軌道に乗せ、上原の後継者として衆議院選挙に立候補するためには、上原の失脚も困るし、透析治療による病院の安定経営も、大田の野心を実現するために必要不可欠なものだった。

船橋が移植コーディネーターとして、中国やフィリピンでドナーを見つけられれば、海外での移植を富裕層に紹介することもできる。二千万円以上の金を出しても移植手術を受けたいという患者は存在する。

移植はすべて上海で行えば、大田が罪に問われることもない。成功した後、船橋から利益を還流させれば、当選するための政治資金として用いることができる。すべてが成功を目の前にして崩壊していく。

頭を掻き毟りたくなるような失望を感じていた。彩夏のマンションを訪ねたが、テーブルに「しばらくヨーロッパを旅行してきます」と書き置きが残してあった。

一連の報道に大田の逮捕も間近と彩夏は判断し、巻き込まれるのを回避するために海外に避難したのだろう。そんな冷たい女だと思ったことは一度もなかった。

疲れきって自宅に戻ると、真弓が応接間で待っていた。

「お話があります」

能面のような無表情な顔で言った。センターテーブルに用紙を広げた。離婚届だった。

「何だね、やぶからぼうに」

真弓はテーブルの下から分厚いファイルを取り出して、テーブルに置いた。

「ご覧になってください」

興信所の報告書だった。大田の一ヶ月の行動記録が詳細に記され、彩夏のマンションに出入りする写真も隠し撮りされていた。

「離婚しろということかね」

「はい」

「ではこの用紙だけ預かっておく」

「いいえ、ここで印鑑を押していただきます。いずれあなたは逮捕される身です。大田家の恥です」

「言わせておけば勝手なことを……。つぶれかかった慈愛会病院を立て直したのは誰だと思っているんだ」

大田は離婚届を掴《つか》み取ると、その場で破り捨て自分の部屋にこもった。

翌朝七時過ぎ。サイレンの音で目を覚ました。

「起きてください。警察の方がみえています」

真弓がドアをノックしながら言った。大田も逮捕を予期して、顧問弁護士とその後の対策を練っていた。大田は顧問弁護士に携帯電話で連絡を入れてから部屋を出た。

真弓は応接室に刑事を招きいれていた。大田は逮捕状を執行するのかと思っていたが、任意の取り調べらしい。

「離婚届を顧問弁護士に持たせます。印鑑をついて送り返してください」

真弓はソファに座ったまま、大田を見送ろうともせずに刑事の前で言い放った。パトカーの後部座席に左右を刑事に挟まれながら座った。

走り出すと、右横の刑事が言った。「聞きしに勝る奥さんですなあ」

大田は訝る顔をしてみせた。

「我々はかんぽの宿の買収について、任意での事情聴取を求めてきたんですが、奥様はご自分で告発した横領罪で逮捕に来たと思ったらしく、自分の目の前で手錠をかけるように求めてきました」

「横領……」

大田にはまったく理解できなかった。

「いや、これから捜査しますが、大田院長と篠原彩夏が慈愛会の金を横領したと被害届が提出されているんですよ」

大田はかんぽの宿を買収する資金を、篠原彩夏名義の口座に預金した。真弓が「逮捕される」と明言したのは、横領で大田が逮捕されると確信していたからだ。

「時期が時期だけに、何か裏があるのではないかと思って、我々も夫人について調べさせてもらったんですよ。こう言ってはなんですが、あの夫人もいいタマですなあ」

右横の刑事からは真弓に呆れ果て、大田に同情している様子がうかがえた。

「桜井とは高校の時からいい仲で、あなたと結婚した後も、関係は続いていたようです」

篠原彩夏名義の口座の存在を知っているのは、経理の桜井だけだ。

真弓は高校時代に大恋愛をしたと結婚後にその噂を聞いた。大田徳治は医師以外は恋愛も結婚も認めなかった。それに反発して真弓は医大受験を放棄した。看護師との食事や彩夏との関係も桜井が逐一報告していたのだろう。

大田が彩夏を愛人にした頃から桜井との関係が復活したのか、あるいは結婚前から交際が続いていたのか。「いいタマだ」と言った刑事の言葉がすべてを物語っているように感じられた。

「着きました。降りてください」刑事が言った。

大田には一人で立ち上がる気力はもはやなかった。

沼崎は八王子市内が一望できる墓地に来ていた。手記が掲載されると同時に自殺した女性の墓参りだ。

沼崎は時折墓参りに来て、花を供えていた。墓の前で手を合わせていると背後から人の気配がした。

「恭太、来ていたの」

由香里だった。

「時々、あなたが墓参りに来ているのは、女性のご両親から聞いたわ。田所編集長からの裏金の話も……」

田所から振り込まれた金はすべて両親に渡した。その金で墓が建立された。

由香里も墓前で手を合わした。

「知っていたんでしょう。田所さんのスキャンダル。彼、文化メディア社を解雇されるみたいよ」

「どうして？」

「ライターの星影さんがあなたに申し訳ないって、あれから田所さんの身辺をいろいろ洗ったみたい」

星影は田所編集長から託された三百万円を女性の両親に提示した。娘の捜索を探偵社に依頼、両親は経済的に逼迫していた。その弱みに付け込んで金で独占手記を獲得した。

「あの金だけど、田所さんは自腹を切ったと吹聴しているけど、実際はそうではなかったみたい」

星影の弟や言いなりになる記者の妻の名義で複数の銀行口座を作らせ、そこに私的に原稿料を田所は振り込んでいた。

「実際に手記獲得や領収書の取れない取材のために使ったのはホンの一部で、あとは私腹を肥やしていた事実がばれてしまった」

横領はデスク時代から始まり、横領額は一億円を超える。

田所は自宅待機を命じられ、査問委員会の決定が近々出されるらしい。懲戒解雇、横領で刑事告発されるようだ。しかし、沼崎にとっては田所の処分など、もはやどうでもよかった。

「真実が明らかになり、親父も病院も、それよりもなによりも患者が喜んでいると思う。いろいろとありがとう。足元の真実を探せなんて偉そうなことを言ってゴメン、謝るわ」

由香里が花を供えながら言った。

「由香里の助言があったから、足を止めることができた。あのまま走っていたら、田所編集長と同じ道に踏み込んでいたと思う。正直に言えば焦りもあった。もうこんなヤクザな世界から足を洗って違う世界で生きてみようと真剣に考えたこともあるけど、もう少し足元の真実を探してみるよ。それと俺のこと野呂さんに取り次いでくれたのは由香里なんだろ……」

それには答えず由香里が言った。「これから何か取材があるの？」

「別にない」

「新宿あたりでいっぱいやらない？」

「いいけど、取材費を使いすぎたっていわれ、二、三ヶ月は交際費を削られそうなんだ」

「わかった。私がおごるよ」

中国政府はこの年、日本の臓器移植法にあたる「人体器官移植条例」を施行し、臓器の不正取引や外国からの移植ツアーを禁じた。

〈参考資料〉

『ミクロスコピア二〇〇七年夏号、秋号』（ミクロスコピア出版会）
『ドクターズ・ネットワーク「病腎移植を考える」二〇〇七年八月号』（徳洲会）
『覚悟としての死生学』難波紘二著（文春新書）

本作品は当文庫のための書き下ろしです。

なお本作品はフィクションであり、実在の個人・団体などとは一切関係がありません。

文芸社文庫

死の臓器

二〇一三年二月十五日　初版第一刷発行
二〇一五年六月二十五日　初版第三刷発行

著　者　麻野涼
発行者　瓜谷綱延
発行所　株式会社　文芸社
〒一六〇－〇〇二二
東京都新宿区新宿一－一〇－一
電話　〇三－五三六九－三〇六〇（編集）
〇三－五三六九－二二九九（販売）
印刷所　図書印刷株式会社
装幀者　三村淳

ISBN978-4-286-13127-6

[文芸社文庫　既刊本]

中谷彰宏
贅沢なキスをしよう。

いいエッチをしていると、ふだんが「いい表情」に。「快感で人は生まれ変われる」その具体例をあげて、心を開くだけで、感じられるヒント満載！

中谷彰宏
全力で、1ミリ進もう。

失敗は、いくらしてもいいのです。やってはいけないことは、失望です。過去にとらわれず、未来から今を生きる――勇気が生まれるコトバが満載。

村上隆英監修　安恒　理
フェイスブック・ツイッター時代に使いたくなる「孫子の兵法」

古代中国で誕生した兵法書『孫子』は現代のビジネス現場で十分に活用できる。2500年間うけつがれてきた、情報の活かし方で、差をつけよう！

本川達雄
「長生き」が地球を滅ぼす

生物学的時間。この新しい時間で現代社会をとらえると、少子化、高齢化、エネルギー問題等が解消される――？　人類の時間観を覆す画期的生物論。

伊藤　翠
放射性物質から身を守る食品

福島第一原発事故はチェルノブイリと同じレベル7に。長崎被ばく医師の体験からも証明された「食養学」の効用。内部被ばくを防ぐ処方箋！